La bibliothèque Gallimard

Mériam Korichi est agrégée de philosophie. En 2003, elle soutient une thèse sur Spinoza et fait, en 2005, l'édition commentée des lettres du philosophe avec Blyenberg (*Lettres sur le mal*, Folioplus philosophie, n° 80).

Olivier Decroix, normalien (Paris) et agrégé de lettres modernes, enseigne en classes préparatoires littéraires et scientifiques au lycée Honoré-de-Balzac à Paris.

Mériam Korichi

présente

Penser l'histoire

Olivier Decroix

Préparation aux épreuves

La bibliothèque Gallimard

Florilège

« On commence par reprocher à la philosophie d'arriver à l'histoire avec certaines idées et de la considérer selon ces idées. Mais la seule idée apportée par la philosophie est celle de Raison – l'idée que la raison domine le monde et que par conséquent l'histoire universelle s'est elle aussi déroulée rationnellement. » (Friedrich Hegel, *La Raison dans l'histoire*)

« Les hommes font leur propre histoire, mais ils ne la font pas arbitrairement, dans les conditions choisies par eux, mais dans des conditions directement données et héritées du passé. » (Karl Marx, *Le 18 Brumaire de Louis-Napoléon Bonaparte*)

« Sans la distinction du nécessaire et du fortuit, de l'essentiel et de l'accidentel, on n'aurait même pas *l'idée* de l'histoire. » (Augustin Cournot, *Considérations sur la marche des idées et des événements dans les temps modernes*)

« Le discours sur le passé a pour statut d'être le discours du mort. » (Michel de Certeau, *L'Écriture de l'histoire*)

« L'esprit dit historique ne perce pas le papier pour trouver de la chair et du sang ; il consiste en une subordination de la pensée au document. » (Simone Weil, *L'Enracinement*)

« "L'historien ne saurait choisir les faits. Choisir ? de quel droit ? au nom de quel principe ? Choisir, la négation de l'œuvre scientifique…" – Mais toute histoire est choix. » (Lucien Febvre, *Discours inaugural au Collège de France*)

Ouvertures

L'histoire, entre interprétation et explication

Concevoir, interpréter, expliquer

L'attitude spéculative et l'attitude scientifique

« Penser » se dit en plusieurs sens ou implique plusieurs sens : il peut signifier tour à tour concevoir en son esprit, se représenter, ordonner des idées ou synthétiser des représentations, se figurer, imaginer, interpréter, juger, connaître, décrypter, ou expliquer. La liste n'est pas exhaustive, mais elle suffit à indiquer une tension possible entre deux sens du verbe « penser » qui se répercutera sur la façon d'envisager le thème de l'histoire. « Penser l'histoire » impliquerait soit une conception de l'histoire, soit une connaissance de l'histoire. D'une manière générale, on pourrait distinguer deux manières de penser l'histoire : la manière « réfléchissante* » et la manière « déterminante* », pour reprendre une distinction kantienne. La première a pour objectif de retirer une signification de la succession et de la diversité des événements et la seconde a pour objectif d'inventorier, répertorier, classer les événements selon des procédures réglées et contrôlées (autrement dit scientifiques). D'un côté la conception de l'histoire est soucieuse de comprendre la succession des faits, de l'autre elle est soucieuse de l'expliquer. Cette distinction entre comprendre et expliquer peut être utile pour aborder les différentes attitudes face à l'histoire.

* Les mots signalés par un astérisque sont définis dans le glossaire (p. 91).

Parmi ces attitudes face à l'histoire, on repère notamment l'attitude spéculative*, qui propose toujours un modèle fort d'intelligibilité (la Providence, la Rationalité), et l'attitude historienne, qui « s'en tient » au fait.

Théorie et pratique de l'histoire

Si le penseur – au premier chef le philosophe – spécule sur l'histoire, notamment sur son sens (direction et signification), l'historien, lui, enquête. L'historien fait d'abord de l'histoire un objet d'enquête. C'est notamment le sens dans lequel Hérodote (484-425 av. J.-C.) emploie le mot clé *historiè*. Voici la façon dont il se présente, lui et son entreprise, dans la Préface à son *Enquête* : « Hérodote d'Halicarnasse présente ici les résultats de son enquête, afin que le temps n'abolisse pas les travaux des hommes et que les grands exploits accomplis soit par les Grecs, soit par les Barbares, ne tombent pas dans l'oubli ; et il donne en particulier la raison du conflit entre ces deux peuples. » L'attitude de l'historien se définira donc par une pratique, avant d'être une théorie : la pratique d'une enquête qui doit s'étayer de documents, de témoignages, en un mot de preuves. Autrement dit, d'emblée, le travail de l'historien se réfère de manière fondatrice à une vérité qui doit être établie. Cette attitude se distingue, d'un côté, de l'attitude spéculative et, de l'autre, de l'attitude commune envers l'histoire sur ce point en particulier. Thucydide témoignera de l'approfondissement de cette exigence de vérité, s'appuyant notamment sur une différentiation nette entre une connaissance vague, par ouï-dire, et une connaissance étayée, fondée. « Les hommes reçoivent les uns des autres indifféremment, sans les mettre à l'épreuve, les rumeurs des événements passés, même si ce passé est celui de leur propre contrée. » Il s'agit donc pour l'historien de se différencier par la méthode et le but de son activité de l'attitude commune face au passé, qui se laisse submerger par l'oubli et la confusion des rumeurs présentes du monde.

Le point de vue sur l'histoire : la question de la vérité historique

Le problème de la re-construction historique

Que nous fassions le lien entre l'activité de l'histoire et un présupposé de véridicité, on peut peut-être le voir à l'éloignement que nous éprouvons aujourd'hui à l'égard du jugement d'Isocrate appliqué à l'histoire :

> Puisque les discours [*logoi*] ont telle nature qu'il est possible d'exposer les mêmes faits de nombreuses façons, de rendre modeste ce qui est grand et de mettre de la grandeur à ce qui est petit, de raconter de façon neuve ce qui est ancien et de parler de vieille manière de ce qui s'est passé récemment, il ne faut plus fuir ce dont d'autres ont parlé avant et au contraire tenter d'en parler mieux qu'eux. Car les actions passées nous ont été laissées à tous comme un bien commun, mais les utiliser à propos, faire les réflexions convenables sur chacune, les disposer de bonne façon par les mots, c'est le propre des personnes qui pensent de bonne façon (*Panégyrique*, 8-9).

Certes, ici, Isocrate met en avant un usage rhétorique «à propos», qui ne décrit pas spécifiquement l'activité de l'historien. Ce faisant il brouille toute distinction radicale entre le discours sur des faits considérés comme donnés (notamment historiques) et le discours qui est composé, littéraire, qui présente les choses selon certains éclairages choisis non en fonction de la vérité, mais en fonction du goût et de la sensibilité de l'auteur, ou son point de vue. Si éloignés que nous soyons maintenant de valider un tel usage de l'histoire, il importe cependant de bien voir l'enjeu de la discussion qu'il soulève sur la nature du discours historique en tant qu'il est composé *a posteriori*. Il présente des faits, mais dont il reconstruit l'impact, l'ampleur et l'enchaînement, puisque ces faits ont disparu, ils sont passés, ils ne sont plus directement accessibles. Le discours historique est une construction qui se donne pour une re-construction. C'est en raison de cette reprise que se pose le problème de l'objectivité du discours historique et de l'histoire elle-même en tant qu'elle devient de ce point de vue un objet problématique, difficilement déterminable et saisissable. L'histoire s'écrit sur une ligne mouvante. À chaque avancée du temps il y a un nouveau retour sur le passé.

L'opinion

La re-construction du récit historique, qui se donne à penser comme une restitution sur la base d'une enquête, ne se fait-elle pas nécessairement à partir d'un certain point de vue ? C'est ce qui expliquerait la variété des récits historiques, qui témoignent de l'existence de plusieurs points de vue sur les « mêmes » faits, en raison de la multiplicité des témoins et des acteurs historiques qui n'ont pas eu la même expérience ni gardé la même mémoire. Le récit historique tirerait-il plus, par nature, et en dépit des habillages méthodologiques contemporains, du côté de la *doxa** ? Une *doxa* qui se décline selon différents degrés : plusieurs degrés, en effet, séparent l'opinion fausse de l'opinion droite. L'opinion fausse méconnaît totalement son objet et exprime uniquement quelque chose sur celui qui la soutient : c'est le point de vue le plus limité, limité à ce point qu'il n'entr'aperçoit même pas l'objet, aveuglé par la sensibilité du sujet. Le plus singulier à propos de cette catégorie est qu'elle concerne non pas d'abord des individus isolés, ignorants, frustes, mais bien des systèmes de pensée entiers. En effet, le géocentrisme a eu en son centre une opinion tout à fait fausse (le Soleil tourne autour de la Terre fixe, centre de l'univers), opinion qui a été le fondement, et le rempart, de tout un système de pensée religieux au nom duquel on a affirmé que les théories de Giordano Bruno (1548-1600) et de Galilée (1564-1642) étaient non seulement impies mais fausses.

On fera valoir ici, pour ouvrir la discussion, que le rejet d'une conception exclusivement rhétorique de l'histoire, jamais loin d'un usage idéologique, indique que l'on continue à référer le sens de l'activité de l'historien à l'exigence de véridicité.

Théoriser la succession historique ?

Expliquer la succession des phénomènes

Parmi les attitudes face à l'histoire que nous avons distinguées plus haut, d'un côté, il s'agit d'essayer de penser la rationalité de l'histoire, son intelligibilité, ou son sens supérieur – c'est l'attitude spéculative* –, et, de l'autre, il s'agit de rendre compte fidèlement du détail de l'histoire et de l'enchaînement des faits. Mais dans un cas comme dans l'autre, ne s'agit-il pas d'expliquer la diversité des phénomènes qui se succèdent dans le temps ? Les philosophes, en effet, se faisant les interprètes des faits, veulent aussi faire valoir des explications, surtout lorsqu'ils subissent l'influence du développement des sciences de la nature. Prenons en considération par exemple le propos de Montesquieu dans la Préface à *L'Esprit des lois* (1748) :

> J'ai d'abord examiné les hommes, et j'ai cru que, dans cette infinie diversité de lois et de mœurs, ils n'étaient pas uniquement conduits par leurs fantaisies.
>
> J'ai posé les principes, et j'ai vu les cas particuliers s'y plier comme d'eux-mêmes, les histoires de toutes les nations n'en être que les suites, et chaque loi particulière liée avec une autre loi, ou dépendre d'une autre plus générale.
>
> Quand j'ai été rappelé à l'Antiquité, j'ai cherché à en prendre l'esprit, pour ne pas regarder comme semblables des cas réellement différents, et ne pas manquer les différences de ceux qui paraissent semblables.
>
> Je n'ai point tiré mes principes de mes préjugés, mais de la nature des choses.
>
> Ici, bien des vérités ne se feront sentir qu'après qu'on aura vu la chaîne qui les lie à d'autres. Plus on réfléchira sur les détails, plus on sentira la certitude des principes. Ces détails même, je ne les ai pas tous donnés ; car, qui pourrait dire tout sans un mortel ennui ?

Il s'agit là d'une véritable profession de foi scientifique, qui atteste que le philosophe a procédé par induction et a découvert des lois qui permettent de rendre compte des faits comme des cas particuliers. Les conditions de vie terrestre, notamment climatiques, sont diverses, ce qui permettrait d'expliquer la diversité des formations sociales et nationales dans le temps. Il y aurait ainsi des raisons positives aux évolutions temporelles.

Le paradigme économique et social

Comme le propos de Montesquieu en atteste, pour les consciences modernes, contemporaines du développement du point de vue scientifique introduit par le bouleversement copernicien et galiléen, le cours temporel de l'histoire doit admettre une explication. La conscience moderne ne se réfère plus à la roue de la fortune pour expliquer le changement et l'évolution historique. Désormais, cette explication sera la plupart du temps interne au déroulement des faits et aux développements des époques historiques. La théorie mettra différents concepts opératoires pour désigner le principe moteur de ces développements. L'explication paradigmatique*, dans cet ordre d'idée, est l'explication économico-sociale, qui renvoie l'histoire d'un pays à l'évolution sociale et économique de sa société, aux jeux de confrontation des forces sociales en fonction d'un enjeu de domination économique. Dans cette perspective, ce sont les idées de conflit d'intérêts et de stratégie de domination économique qui fournissent des moyens de penser l'évolution historique de la société. C'est le point de vue que Karl Marx introduit au XIXe siècle qui constitue une rupture épistémologique majeure, ne serait-ce que par la conception concrète de l'histoire, qui est certes faite par les hommes, mais par des hommes qui ploient sous le poids du passé et qui se divisent en exploiteurs et exploités. Cette conception de l'histoire fait valoir que les hommes font les circonstances tout autant que les circonstances façonnent ou déterminent les hommes. Le début du *Manifeste communiste* de 1848 synthétise la logique de la succession historique :

> L'histoire de toute société jusqu'à nos jours, c'est l'histoire de la lutte des classes.
> Homme libre et esclave, patricien et plébéien, baron et serf, maître de jurande et compagnon, en un mot : oppresseurs et opprimés, se sont trouvés en constante opposition ; ils ont mené une lutte sans répit, tantôt cachée, tantôt ouverte, une guerre qui chaque fois finissait soit par une transformation révolutionnaire de la société tout entière, soit par la ruine commune des classes en lutte.

Par où l'on voit que le principe marxiste de lecture de l'histoire est global, il doit permettre de déchiffrer tous les épisodes de l'histoire des hommes. C'est véritablement une clé de lecture de l'histoire.

Si les conséquences de cette interprétation de l'histoire sont politiques – cette lecture conduit Marx à fonder le Parti communiste –, cette interprétation insiste sur le caractère socio-économique de la dynamique historique. D'autres interprétations, comme celle de Michel Foucault, prolongeront cette idée que l'histoire des sociétés est une histoire guerrière, de manière à faire de la lutte pour la domination politique le véritable moteur de l'histoire d'une société. En effet, dans son cours au Collège de France de 1976, « *Il faut défendre la société* », Michel Foucault retourne une formule connue d'un théoricien de la guerre, Carl von Clausewitz, qui affirmait : « La guerre n'est que la continuation de la politique par d'autres moyens. » Pour Foucault, il s'agit d'affirmer l'inverse :

> [...] la politique, c'est la guerre continuée par d'autres moyens. Ce qui voudrait dire trois choses. D'abord ceci : que les rapports de pouvoir, tels qu'ils fonctionnent dans une société comme la nôtre, ont essentiellement pour point d'ancrage un certain rapport de force établi à un moment donné, historiquement précisable, dans la guerre et par la guerre. [...] c'est-à-dire que la politique, c'est la sanction et la reconstruction du déséquilibre des forces manifesté dans la guerre. Et le retournement de cette proposition voudrait dire autre chose aussi : à savoir que, à l'intérieur de cette « paix civile », les luttes politiques, les affrontements à propos du pouvoir, avec le pouvoir, pour le pouvoir, les modifications des rapports de force – accentuation d'un côté, renversements, etc. – tout cela, dans un système politique, ne devrait être interprété que comme les continuations de la guerre. [...] On n'écrirait jamais que l'histoire de cette même guerre, même lorsqu'on écrirait l'histoire de la paix et de ses institutions.
> Le retournement de l'aphorisme de Clausewitz voudrait dire encore une troisième chose : la décision finale ne peut venir que de la guerre, c'est-à-dire d'une épreuve de force où les armes, finalement, devront être juges. [...]
> On pourrait opposer deux grands systèmes d'analyse du pouvoir. L'un, qui serait le vieux système que vous trouvez chez les philosophes du XVIIIe siècle, s'articulerait autour du pouvoir comme droit originaire que l'on cède, constitutif de la souveraineté, et avec le contrat comme matrice du pouvoir politique. [...] Et vous auriez l'autre système qui essaierait au contraire, d'analyser le pouvoir politique non plus selon le schéma contrat-oppression, mais selon le schéma guerre-répression. Et à ce moment-là, la répression n'est pas ce qu'était l'oppression par rapport au contrat, c'est-à-dire un abus, mais, au contraire, le simple *effet* et la simple *poursuite* d'un rapport de domination. [*Nous soulignons.*]

On voit ici que des enjeux théoriques autant que politiques se dégagent de la réflexion sur l'histoire. Mais dans l'analyse de Michel Foucault, en outre, on voit son principe d'interprétation suivre le mouvement de l'histoire – ou, en tout cas, se faire l'écho du dynamisme historique – faisant valoir une perspective continuiste qui fait de l'histoire un enjeu pour le présent. La réflexion sur l'histoire, qui se veut ici elle-même historique, peut donc être conçue comme ayant un but ; un but théorique d'abord de définition des termes (comme « pouvoir politique ») qui nous servent à interpréter notre actualité.

Équivocité du concept d'histoire

Comme le montre la différence d'interprétation entre Karl Marx et Michel Foucault non seulement quant à la signification des rapports de forces à l'œuvre dans l'histoire, mais quant à la nature du dynamisme historique en lui-même, on le voit, il existe des modes successifs, changeants et divergeant des façons de concevoir l'histoire et le rapport à l'histoire. Cette multiplicité des rapports se reflète dans la variété et l'hétérogénéité des textes qui prennent l'histoire comme objet (c'est-à-dire qui s'en servent), dont le roman dit « historique ». Il y a en effet l'histoire des historiens, l'histoire des philosophes, l'histoire-référence – celle qui est effectivement passée –, l'histoire-patrimoine, qui fournit un réservoir d'exemples aux orateurs et hommes de culture, l'histoire-expérience – celle que des individus traversent, celle qu'ils gardent en mémoire, celle à propos de laquelle ils peuvent témoigner, autrement dit : l'histoire des acteurs et des témoins de l'histoire –, l'histoire des romanciers... Ne serait-ce que dans le domaine des écrits historiques et historiographiques, il existe une grande variété, qui va de la chronique, des Mémoires, des témoignages aux annales, en passant par toutes les espèces d'histoires : histoire politique, histoire économique, histoire sociale, histoire culturelle... Une question se pose à ce propos : jusqu'à quel point ces histoires peuvent-elles constituer des objets autonomes ?

Perspective 1

L'histoire ou les histoires ?

Quand on parle d'histoire, on entend généralement l'évolution dans le temps de l'espèce humaine, à l'exclusion des autres espèces animales et végétales – auxquelles se consacrent l'histoire naturelle, la biologie ou la botanique et d'autres disciplines spécialisées – et à l'exclusion aussi des choses inanimées – les disciplines concernées vont des sciences physiques à la géologie. Par ailleurs, on peut distinguer cette histoire de l'intrigue romanesque (un roman raconte en effet une histoire) et aussi des péripéties de la vie individuelle et quotidienne. Certainement, ces trois catégories communiquent, elles ne sont pas étanches, comme le montrent des productions transgenres comme le roman historique (de *La Comédie humaine* d'Honoré de Balzac aux *Bienveillantes* de Jonathan Littell) ou les Mémoires qui mêlent le témoignage historique et la littérature, dont les *Mémoires d'outre-tombe* de François-René de Chateaubriand fournissent un éminent exemple. Mais on commencera ici par s'appuyer sur cette distinction puisqu'elle met en valeur une dimension du sens du mot « histoire » qui constitue l'objet de notre enquête : l'historicité, ou l'histoire se développant dans le temps.

On pourra donc définir l'histoire comme l'histoire des hommes ayant une existence réelle. Mais déjà on s'arrête : y a-t-il une histoire ou des histoires ? l'histoire des hommes est-elle l'histoire de l'humanité ? la multiplicité et la variété des hommes peuvent-elles se laisser réduire au concept d'humanité ? l'histoire est-elle pluraliste ? c'est-à-dire la multiplicité et la variété des histoires des hommes tiennent-elles ensemble ?

ou l'histoire est-elle plurielle, plurivoque ? l'histoire des uns peut-elle être l'histoire des autres au moins en un sens ?

La vieille question des universaux qui faisait naître des querelles au Moyen Âge resurgit ici. Le thème de l'histoire universelle, en tant qu'il met en jeu l'idée ou le concept d'humanité, réactive en effet le problème philosophique du rapport entre les choses particulières existant en acte, et les idées d'universalité existant dans l'esprit. Par conséquent, on retrouve en même temps un soupçon : celui qui incite à se défier de la notion d'universel comme une abstraction qui ne donne aucune clé d'accès au réel. Dans ce chapitre, c'est le sens de l'universalité qui se rattache à l'histoire que nous allons interroger et analyser.

Une histoire providentielle ?

Le péché originel : le commencement de l'histoire ?

Historiquement, le concept d'histoire universelle correspond à une interprétation de l'ensemble des événements historiques depuis l'origine de l'humanité, soutenue par le recours à une explication unique. La doctrine de la Providence divine, fondée sur l'idée de la toute-puissance et de l'omniscience de Dieu, fournit le premier exemple historique d'une tentative d'unifier le concept d'histoire, pour réfuter l'idée que c'est le hasard ou la fortune qui dirige au fond les affaires humaines. Cette doctrine met en jeu la volonté de Dieu non seulement comme omnipotente, mais comme essentiellement bonne. Or l'expérience historique des hommes se caractérise par ce qu'ils considèrent volontiers comme le mal, cette expérience étant constituée de la mémoire (et la crainte) de la guerre, de la famine, des révolutions sanglantes, des répressions violentes, de l'arbitraire et de la domination du pouvoir politique. Mais le discours sur le mal, qui est à l'origine un discours religieux, articule cette passivité des hommes face aux événements historiques malheureux au fait que l'humanité historique hérite de la tare du péché originel et en subit les conséquences, ou les suites dans le temps. Le temps, ici, s'oppose directement à l'éternité, dans laquelle seulement s'expérimente la béatitude. Originairement coupable, l'humanité est donc responsable de sa souffrance et, par cette souffrance, elle doit expier sa faute. Ainsi cette conception morale du mal, qui renferme, on le voit, un point de vue sur l'histoire, renvoie le mal subi à un mal commis – même s'il est lointain, il est originaire et marque l'histoire de manière indélébile puisque l'épisode biblique figure ses commencements.

La liberté humaine, ou la raison de l'histoire

Si l'affirmation de l'existence de la Providence divine ne va pas sans l'argumentation d'une théodicée chargée de justifier l'action de Dieu, censée être en conformité avec une volonté absolument bonne, la justification de l'action de Dieu se trouve déjà en partie assurée par la mise en cause de la responsabilité originaire de l'humanité dans l'expérience du mal historique. Or à quoi cette culpabilité originaire renvoie-t-elle ? Si l'on se souvient de l'épisode biblique qui se solde par l'expulsion d'Adam et Ève du Paradis, on évoquera certes la séduction d'Ève et la tentation dont fut victime Adam. Mais on retiendra surtout qu'Adam en cueillant le fruit défendu a agi selon sa propre volonté, puisqu'il a agi selon un principe contraire au commandement de Dieu. Par cet acte, il a, en un mot, exercé sa liberté. Autrement dit, le péché originel, selon cet horizon religieux, est la conséquence de la liberté humaine. L'histoire commence mal parce que l'homme est libre. C'est donc la liberté qui constitue le problème de l'histoire, et c'est le problème que le providentialisme traite. Précisons d'abord les termes du problème que pose l'affirmation de la liberté humaine, la désobéissance constituant ici son acte de naissance. D'une part, en agissant de son propre chef, l'homme disculpe Dieu de l'action qui s'est ensuivie. Mais, d'autre part, Dieu est tout-puissant, l'action de l'homme ne peut totalement échapper à la juridiction divine, il y a un point où l'action humaine rejoint celle de Dieu ou s'accorde avec elle, dans cette perspective monothéiste où l'humanité ne peut être conçue comme autonome. Ce point est généralement le lieu du mystère : les intentions de Dieu tout-puissant et toute bonté dépassent l'entendement des hommes, mais non point leurs cœurs capables, selon Pascal, de sentir Dieu et d'avoir la foi. Si «les chemins de Dieu sont impénétrables», les hommes sont invités à avoir foi en la Providence divine, qui, par essence, renvoie à l'omniscience de Dieu et à sa bonté, mais qui, en raison de l'existence temporelle des hommes, a nécessairement des effets différés : patience et humilité, voilà les deux vertus exigées pour accepter le sens de l'histoire de l'humanité. Le sens de l'histoire doit s'entendre ici comme désignant la destination de l'histoire qui avance en vue d'une fin, et on parlera d'une conception eschatologique* qui explicite la finalité dernière de l'histoire en se référant à son extrémité, au dernier jour de l'histoire, autrement dit le jour du Jugement dernier. Mais avec cette direction ou cette destination, il s'agit aussi d'assigner une signification à l'histoire et à sa fin, savoir : la rétribution de la piété et l'expiation du péché, et plus généralement la rédemption de l'humanité, autrement dit : la fin des effets du péché originel.

Le sens transcendant de l'histoire

Le thème de la Providence divine mettant en perspective dans l'ici et le maintenant un au-delà de l'histoire appartient bien originairement à la théologie. Cet ancrage seul distingue ce thème du concept philosophique de destin, qui appartient au registre de la philosophie stoïcienne. Mais, dans un cas comme dans l'autre, il y a un destin décidé de toute éternité. La différence, c'est que, dans le cas du providentialisme chrétien, ce destin ne peut qu'engager à un acte de foi et inciter à une conduite de vie pieuse et humble. La lecture chrétienne de l'histoire donne un sens extérieur au temps et à l'histoire, par référence à un fondement, une origine supérieure et immuable, autrement dit un sens transcendant*.

Cette lecture ordonne et investit de ce sens supérieur la diversité des faits et leur déroulement dans le temps, ou leur « suite », comme dit Bossuet dans son *Discours sur l'histoire universelle* (1681). Cette lecture s'appuie sur l'argument de la persévérance de l'Église chrétienne à travers le temps et l'adversité, qui apparaît comme une sorte de colonne vertébrale de l'histoire, le signe visible de la Providence et l'indice de l'unité de l'histoire des hommes subordonnée au règne suprême de Dieu. La reconnaissance de cette suprématie, qu'une attention trop grande à la diversité historique peut masquer, conduit naturellement Bossuet à formuler la leçon de morale que nous venons d'expliciter, celle qui consiste à mettre en valeur l'humilité de l'homme devant la vanité des affaires humaines sur terre :

> Cette suite d'empires, même à les considérer plus humainement, a de grandes utilités, principalement pour les princes; puisque l'arrogance, compagne ordinaire d'une condition si éminente, est si fortement rabattue par ce spectacle. Car si les hommes apprennent à se modérer en voyant mourir les rois, combien plus seront-ils frappés en voyant mourir les royaumes mêmes; et où peut-on recevoir une plus belle leçon de vanité des grandeurs humaines ? [...] Ce fracas effroyable vous fait sentir qu'il n'y a rien de solide parmi les hommes, et que l'inconstance est le propre partage des choses humaines.

Le jansénisme pessimiste de Bossuet s'articule à des fins apologétiques : il s'agit en effet de faire l'apologie de la religion qui va de pair avec une dépréciation non seulement des biens de ce monde, mais de la vie dans ce monde avec laquelle il faut toujours maintenir une distance, car la destinée de l'homme est supraterrestre. De sorte que, prêtant à l'histoire les caractéristiques d'un « fracas effroyable », et la peignant comme une succession de natures mortes invitant à la piété religieuse, l'histoire n'a d'universel que son sens creux, que ce à quoi elle se réfère négativement : la transcendance* divine. Rétributions et châtiments dès ce monde-ci : voilà le moteur de l'histoire pour la vision chrétienne.

L'idée que le flux de l'histoire obéit à une logique propre, qui réalise les desseins de Dieu en se servant des hommes, caractérise la vision chrétienne. C'est une façon de donner un sens moral aux événements. Ainsi, pour Chateaubriand, la Révolution ne doit rien au hasard, elle est l'aboutissement d'un processus de dégradation morale qui implique le rappel de la Chute originelle et la nécessité présente de l'Expiation, dans l'attente de la Rédemption. Dès le début de ses *Mémoires*, il exprime sa conviction : « Dieu fait bien ce qu'il fait : c'est la Providence qui nous dirige lorsqu'elle nous destine à jouer un rôle sur la scène du monde. »

L'immutabilité du cycle historique

Du désordre à l'ordre, du hasard au sens

Renvoyer à l'existence de la Providence est un moyen de référer à un ordre le désordre apparent des événements historiques, et aussi bien d'ordonner dans un sens ce qui se donne comme le fruit du hasard. Il y a deux manières de persuader de cet ordre : soit en le présentant comme caché aux hommes et devant leur être révélé – la condition étant de se détourner du désordre du monde –, soit en se proposant de montrer que cet ordre est à l'œuvre dans l'expérience même. Cette seconde approche, que l'on nommera généralement progressiste, a pour conséquence de valoriser l'histoire. Elle peut même faire usage du concept de Providence, marqué par l'approche catholique. Ainsi, Giambattista Vico « civilise » la Providence, à rebours du processus de sacralisation de l'histoire par les histoires universelles catholiques. On passe ici d'une perspective théologique (renvoi aux fins dernières de Dieu) à une perspective téléologique* : considération de la finalité historique qui peut se déduire de la seule considération de l'histoire, notamment du mouvement en avant qui semble caractériser son cours. Dans sa *Science nouvelle* (1725-1744), Vico entend faire valoir qu'une « démonstration historique de la Providence » est concevable. Pour ce faire, il rejette l'enseignement de ceux qui ont précédé au motif qu'ils ont « tout à fait méconnu la Providence » :

> Les stoïciens prétendent qu'une chaîne invisible de causes et d'effets entraîne les entreprises humaines ; les épicuriens, que les actions résultent des rencontres hasardeuses des atomes ; d'autres philosophes n'ont considéré la Providence que dans l'ordre des choses naturelles, désignant la métaphysique du nom de « théologie naturelle » [...]. C'est pourtant sur le plan civil qu'ils auraient dû envisager la Providence ; rien ne le montre mieux que le sens propre de « divinité », mot qui désignait la Providence et qui vient de *divinari*, « deviner », entendant par là l'action de connaître ce qui est caché à l'homme – l'avenir – ou ce qui est caché dans l'homme même – la conscience ; c'est justement la Providence qui est la première et principale partie de la jurisprudence, celle qui concerne les choses divines, et l'autre partie relative aux choses humaines ne fait que la compléter. Cette science apparaît ainsi comme une démonstration,

pour ainsi dire, historique de la Providence; c'est en effet une histoire des lois par lesquelles cette Providence a régi la grande cité du genre humain sans qu'il soit besoin de faire appel à la prévoyance humaine ou à des décisions prises par des hommes et souvent même de façon opposée aux projets qu'ils ont faits; c'est ainsi que ces lois apparaissent comme universelles et éternelles bien que le monde ait été créé dans le temps et dans des circonstances particulières.

Unifier le divers

Le concept de Providence est proposé ici par Vico comme un principe d'unification de la diversité des phénomènes historiques permettant de penser l'histoire comme un ensemble ordonné, structuré en fonction d'une certaine finalité que le philosophe précise dans son texte comme étant la «conservation de l'humanité». C'est en fonction d'un ordre providentiel que l'homme se conserve. Mais, parce que l'homme est une espèce destinée à se civiliser, cette conservation s'effectue dans l'histoire et justifie son cours. Voilà une façon de sauver le dynamisme historique en le renvoyant à la dignité d'un principe supérieur, à la souveraineté d'une prévoyance divine, et surtout en alléguant l'existence de lois universelles et immuables qui règlent son cours. Mais qu'en est-il de l'attention à la diversité, des différences aux divergences? Comment le concept d'une Providence universelle dont l'histoire se ressent en rend-il compte? Si l'idée de Providence ici disqualifie les intentions des hommes comme moteur effectif de l'histoire, elle ne disqualifie pas leurs actions. Ce sont bien les hommes qui font l'histoire, mais à leur insu, et en fonction d'un cycle nécessaire* et immuable: «Il existe une histoire idéale éternelle, que parcourent dans le temps les histoires de toutes les nations de quelque état de sauvagerie, de barbarie et de férocité que partent les hommes pour se civiliser» ou se domestiquer (ad addimesticarsi est le terme qu'emploie Vico). Il s'agit bien de ramener le sens de l'histoire à la civilisation de l'homme même. Les histoires des peuples se rapportent chaque fois à un unique schéma de progrès, de marche à la civilisation, qui se répète dans le temps pour tous les peuples qui tour à tour traversent ou exécutent ce cycle de perfectionnement humain.

Vices privés, vertu publique

Mais qu'est-ce qui permet la réalisation de ce cycle de perfectionnement, de civilisation ? Selon Vico, ce sont les vices des hommes qui rendent possible le progrès civil, et non pas les vertus telles l'humanité, la générosité ou la fraternité. La férocité, l'avarice, l'ambition édifient les sociétés et les font prospérer : « Ces trois vices qui égarent le genre humain, engendrent l'armée, le commerce et le pouvoir politique et comme conséquence le courage, la richesse et la sagesse des républiques : de sorte que ces trois vices, qui sont capables de détruire le genre humain sur la terre, produisent la félicité civile. » Vico y voit la preuve de l'existence d'une « divine providence, d'une divine intelligence, qui avec les passions des hommes absorbés tout entiers dans leurs intérêts privés, lesquelles les feraient vivre dans les solitudes, comme des bêtes féroces, organisent l'ordre civil, qui nous permet de vivre dans une société civile ». Vices privés, vertus publiques : voici un thème cher aux penseurs du XVIIIe siècle, tels Bernard Mandeville et sa *Fable des abeilles* (1714), Vico et Voltaire. Ces auteurs renversent la perspective du XVIIe siècle sur les passions moralement condamnables. Ainsi Voltaire, avant Hegel, affirme-t-il dans son *Traité de métaphysique* (1734) que sans grandes passions il n'y aurait jamais eu de grands empires ni de sociétés florissantes : « Ces passions dont l'abus fait à la vérité tant de mal, sont en effet la principale cause de l'ordre que nous voyons aujourd'hui sur la terre. L'orgueil est surtout le principal instrument avec lequel on a bâti ce bel édifice de la société. »

Histoire universelle ou histoire(s) politique(s) ?

La théorie politique, ici, vient s'intercaler et se proposer en lieu et place d'un discours sur l'histoire. Mais peut-être n'y a-t-il rien à penser d'autre à propos des traces de l'histoire que les édifications politiques des peuples en cités ou en nations. Soutenir ce point de vue revient à récuser l'idée d'une histoire universelle, d'une marche en avant générale, puisqu'il s'agirait pour chaque peuple d'une histoire politique particulière, même si chaque fois se retrouve le schéma formel de la naissance et du développement civil. Et, outre les décalages temporels, la diversité géographique n'implique-t-elle pas l'impossibilité d'une histoire globale ?

Cependant l'idée d'histoire universelle tient encore. Comment véritablement penser que les histoires particulières ne se ressentent pas de toutes, par des interactions de proche en proche, façonnant un ensemble global qui constitue le présent ? Il y a donc l'idée de marche en avant globale qui résiste aux assauts de la critique. Vico utilise une métaphore pour figurer le résultat de la marche en avant de l'histoire, dans le texte que nous avons cité plus haut. Il parle de la « grande cité du genre humain ». Faut-il donc penser l'histoire comme la construction progressive d'un grand édifice unique ? Comment penser cette grandeur et cette unicité ?

Une histoire universelle ou un concept d'histoire universelle ?

La philosophie de l'histoire

C'est ici que le philosophe se propose de jouer un rôle déterminant pour penser l'histoire. Cette ambition a correspondu à la naissance d'un domaine spécialisé de la philosophie sur ce sujet : la philosophie de l'histoire. Cette discipline se verra attribuer une place éminente au XIXe siècle avec les apports conceptuels de G. W. F. Hegel, de Karl Marx et le triomphe du positivisme d'Auguste Comte. Ainsi même lorsqu'il est question, à cette époque, de critiquer la conception philosophique de l'histoire qui prévaut – à savoir une conception téléologique, c'est-à-dire une conception qui assigne une fin à l'histoire à partir de spéculations sur son but (finalité) –, les précautions rhétoriques sont de rigueur, comme le montre l'exemple d'Antoine-Augustin Cournot, qui, avant d'argumenter en faveur de la thèse selon laquelle l'histoire est le fruit à la fois du hasard et de la nécessité, croit bon tout de même de préciser : « Que le genre humain vaille bien la peine que son histoire se déroule en conformité d'un plan connu ou décrété d'ensemble, et que la philosophie de l'histoire aurait pour tâche de démêler, nous nous gardons de le contester. »

Expliquer et justifier le devenir historique...

La Raison universelle – C'est que la conception téléologique* de l'histoire va être considérablement revivifiée par la gloire de l'hégélianisme et l'ambition de reconnaître effectivement la rationalité à l'œuvre derrière «l'apparence bariolée des événements», pour reprendre l'expression que Hegel utilise dans *La Raison dans l'histoire* (1837-1840). Car avant toute chose, l'enjeu est celui de la possibilité de concevoir une Raison universelle qui impliquerait d'assigner un sens spirituel à la globalité de l'histoire, qui apparaît alors comme une réalisation progressive de l'esprit. Comment reconnaître la rationalité à l'œuvre à travers le temps qui passe, les changements et les destructions qui s'ensuivent ? Comment ne pas être persuadé de la vanité des choses en étudiant l'histoire qui paraît un champ de ruines ?

La dialectique – Hegel propose d'appréhender la réalité avec l'outil propre de la pensée, le concept, et de reconnaître à l'œuvre dans le réel le même processus que la pensée met en place, à savoir la dialectique, qui est une méthode pour donner toute sa signification aux tensions et aux contradictions dans les choses. Cette méthode permet de penser le devenir comme mettant nécessairement en jeu un rapport dynamique et agonistique (relatif à la lutte) entre des contraires. Hegel prend l'exemple de la fleur et du bouton pour mettre en perspective le point de vue dont il est ici question : «Le bouton disparaît dans l'éclatement de la floraison, et on pourrait dire que le bouton est réfuté par la fleur. À l'apparition du fruit, également, la fleur est dénoncée comme un faux être-là de la plante, et le fruit s'introduit à la place de la fleur comme sa vérité. Ces formes ne sont pas seulement distinctes, mais chacune refoule l'autre.» Cette précision est importante car elle signale la manière dont la dialectique hégélienne refuse les identités figées, ayant l'objectif de faire reconnaître comme seul véritablement réel le mouvement de passage d'une chose à une autre.

Le devenir – Hegel poursuit : «Mais en même temps leur nature fluide en fait des moments de l'unité organique dans laquelle elles ne se repoussent pas seulement, mais dans laquelle l'une est aussi nécessaire que l'autre, et cette égale nécessité constitue seule la vie du tout.» Le devenir n'est pensable que si l'on pense la fluidité de chacune des étapes du temps – qui implique une évanescence essentielle des différentes déterminations de la vie. Cette description analytique de la dialectique se transpose aisément à l'histoire, dont le devenir est justement ce que l'on tente de penser pour le justifier.

... et donner un sens à l'histoire

Expliquer le devenir historique, voilà à quoi s'emploie la dialectique hégélienne. Mais elle s'emploie aussi à la justifier par l'approche philosophique, qui est la seule qui peut assigner un tel sens à l'histoire. Le thème de l'histoire provoque donc une profession de foi spéculative* de la part du philosophe, comme en témoigne l'extrait suivant tiré de *La Raison dans l'histoire* :

> On commence par reprocher à la philosophie d'arriver à l'histoire avec certaines idées et de la considérer selon ces idées. Mais la seule idée apportée par la philosophie est celle de Raison – l'idée que la raison domine le monde et que par conséquent l'histoire universelle s'est elle aussi déroulée rationnellement. Cette conviction est un *postulat* à l'égard de l'histoire comme telle. Mais pour la philosophie, ce n'est pas un postulat. La connaissance spéculative a *démontré* que la Raison (nous nous servons ici de cette expression sans analyser de plus près son rapport avec la divinité) est la *substance*, la *puissance infinie*, la matière infinie de toute vie naturelle et spirituelle – et aussi la forme infinie, l'actualisation de son contenu. Elle est la *substance*, ce par quoi toute réalité a son être et sa subsistance. Elle est la *puissance* infinie, car la Raison n'est pas impuissante; elle ne se borne pas à l'idéal, au devoir être; elle n'est pas en dehors du réel, on ne sait où, par exemple seulement dans les têtes de quelques hommes. [...] La réflexion philosophique a pour but d'éliminer l'accidentel, c'est-à-dire la nécessité extérieure – nécessité qui se ramène à des causes qui elles-mêmes ne sont que des circonstances externes. Nous devons chercher dans l'histoire un but universel, le but final du monde (ça va bien quelque part, c'est cohérent et non absurde, et c'est valable pour tous les hommes), qui ne soit pas un but particulier de l'esprit subjectif ou du sentiment humain. La raison doit le saisir; elle ne peut placer son intérêt dans aucun autre but fini particulier, mais seulement dans le but absolu. [...] Le rationnel est ce qui existe en soi et pour soi – ce dont provient tout ce qui a une valeur. Il se donne des formes différentes; mais en aucune d'elles il n'est fin plus clairement qu'en cette explicitation et cette manifestation de l'esprit dans ses multiples figures que nous nommons les Peuples.

Il faut apporter à l'histoire la foi et l'idée que le monde de la volonté n'est pas livré au hasard. Qu'une fin ultime domine les événements de la vie des peuples, que la raison soit présente dans l'histoire universelle – et non la raison d'un sujet particulier, mais la Raison divine, absolue – c'est une vérité que nous présupposons ici.

Il s'agit d'une vérité et cependant elle doit être présupposée. S'agit-il d'une vérité effective ou d'une hypothèse méthodologique qui permet au philosophe de penser un ordre à l'histoire, une direction, et surtout une signification satisfaisant la raison philosophique ? Remarquons cependant que cette position idéaliste, qui est absolutiste (le particulier renvoie en dernier instance à un absolu), donne un privilège à la conscience du sens de sa propre histoire. La question que soulève cette conception hégélienne de la téléologie* est alors la suivante : la conscience du sens de son histoire est-elle un signe d'un degré supérieur de civilisation (de réalisation de l'esprit) ? Cette idée de supériorité donnée par la conscience de soi « nationale » ne risque-t-elle pas d'occasionner un glissement de la spéculation philosophique à des prises de positions pratiques et surtout politiques ?

Une histoire particulière peut-elle détenir la clé de l'histoire mondiale ?

Un universalisme abstrait

La position idéaliste peut effectivement refléter l'exigence de « la » raison, mais de quelle raison ? Peut-on parler ici de raison universelle ? Un soupçon survient ici, car cette raison, celle dont parle Hegel, est en partie historiquement et géographiquement déterminée. Le problème vient de ce que cette idée de la raison – qui est une idée classique en Europe occidentale – va entraîner une conception de l'universel qui tend à ignorer ses déterminations particulières.

Nous avons choisi ici de confronter deux points de vue opposés sur la question. D'abord, le point de vue critique d'Oswald Spengler, ayant subi l'influence de Friedrich Nietzsche (1844-1900), permet de mettre en perspective le risque de dérive idéologique de la conception téléologique et idéaliste de l'histoire. Le titre du livre de Spengler est significatif : *Le Déclin de l'Occident* (1918-1922). Ensuite, le point de vue d'Edmund Husserl (1859-1938), dont la phénoménologie poursuit l'œuvre de la philosophie allemande idéaliste, permettra de voir comment s'effectue ce glissement idéologique du point de vue spéculatif. La question qui est débattue est en définitive la suivante : l'histoire de l'Occident montrerait-elle une voie universelle aux histoires des autres continents parce qu'elle a spéculé sur l'idée d'universel ?

Oswald Spengler, *Le Déclin de l'Occident*

Spengler argumente en faveur d'une approche de l'histoire que l'on pourrait qualifier de multiculturaliste. Une approche, surtout, qui rejette l'identification de la marche de l'histoire mondiale à celle de l'histoire de l'Europe occidentale. Or ce qu'il nomme le « système ptolémaïque de l'histoire », qui met cette Europe en son centre, semble être la résultante de l'idéalisme, un trait qu'il contient potentiellement et qui peut se développer.

> Qu'est-ce qu'une histoire universelle ? Une idée organisée du passé, sans doute un postulat intérieur, l'expression d'un sentiment de la forme. [...]
> Assurément, ceux qu'on interroge sont tous convaincus qu'ils pénètrent clairement, d'un coup d'œil, dans la forme intérieure de l'histoire. [...] En fait, l'*image* de l'histoire universelle est une *possession spirituelle sans examen* que même les historiens de profession se transmettent d'une génération à l'autre sans jamais l'accompagner de cette petite portion de scepticisme qui, depuis Galilée, analyse et approfondit notre image innée de la nature.
> *Antiquité – Moyen Âge – Temps modernes* : voilà le schéma d'une incroyable indigence qui exerce sur notre pensée historique un pouvoir absolu, voilà le *non-sens* qui nous a toujours empêchés de saisir exactement dans ses rapports avec l'histoire totale de l'humanité supérieure la position véritable, le rang, la forme et surtout la durée de ce petit monde fragmentaire qui depuis l'Empire germanique se développe sur le sol de l'Europe occidentale. Les cultures à venir pourront à peine croire qu'un plan aussi simpliste, rendu encore chaque siècle plus impossible par son cours rectiligne et ses proportions insensées, qui lui interdisent toute intégration naturelle de domaines acquis récemment à la lumière de notre conscience historique,

se soit maintenu quand même sans secousse sérieuse. [...] On a beau parler de Moyen Âge grec et d'Antiquité germanique, ce n'est pas ainsi qu'on arrivera à une image claire et intérieurement nécessaire, où la Chine et le Mexique, les royaumes d'Axum et des Sassanides trouveront une place organique. De même, en transférant le point initial des « Temps modernes » des Croisades à la Renaissance et de là au début du XIXe siècle, on prouve seulement qu'on tient le schéma lui-même pour intangible.

[...] J'appelle ce schéma, familier à l'Européen d'Occident, qui fait mouvoir les hautes cultures autour de nous comme autour d'un centre de tout événement historique, *système ptolémaïque* de l'histoire, et je considère comme une *découverte copernicienne* sur le terrain de l'histoire l'introduction, dans ce livre, d'une doctrine destinée à remplacer celle de Copernic et qui ne donne, en aucune manière, à l'Antiquité et à l'Occident une place privilégiée à côté de celle de l'Inde, de Babylone, de la Chine, de l'Égypte, de la culture arabe et mexicaine.

Edmund Husserl, « La Crise de l'humanité européenne et la philosophie »

Le texte de Husserl qui suit confirmerait l'existence de ce préjugé occidental. Partant d'abord du constat de la diversité historique, qui constitue l'essence même de l'historicité, Husserl cependant retrouve l'idée de *telos*, de finalité, de l'histoire qui ne peut être conçue que d'après un modèle accompli de l'esprit civilisé, accomplissement que l'Europe pourrait incarner. On remarquera ici que le point de vue se fonde sur l'articulation de notions empruntées à la philosophie aristotélicienne, comme l'entéléchie, mot translittéré du grec, qui vient de *telos* et qui désigne le fait d'être arrivé à son terme, d'avoir atteint sa forme. Le texte qui suit est extrait d'une conférence prononcée par Husserl en 1935, intitulée « La Crise de l'humanité européenne et la philosophie », publiée dans *La Crise des sciences européennes et la phénoménologie transcendantale*.

Toute figure de l'esprit se tient par essence dans un espace historique universel ou dans l'unité particulière d'une époque historique, par coexistence et succession, elle possède une histoire. Si nous poursuivons les enchaînements historiques, et si, comme cela est nécessaire, nous partons de nous-mêmes et de notre nation, alors la continuité historique nous conduit toujours plus loin, de notre nation aux nations voisines, d'époques en époques. Dans l'Antiquité elle nous conduit finalement des Romains aux Grecs, aux Égyptiens, aux Perses, etc. : il n'y a là manifestement aucun terme. [...] Dans ce processus l'humanité apparaît comme une seule vie pour les hommes et les peuples, liée seulement par une relation spirituelle, avec une quantité de types d'humanités et de cultures, mais dont les courants se mêlent les uns aux autres. C'est comme une mer, dans laquelle les hommes et les peuples sont des vagues qui se forment fugitivement, changent et disparaissent à nouveau, les unes plus compliquées et plus riches dans leur découpe, les autres plus primitives.

Cependant si nous nous appliquons à mieux considérer cet ensemble de l'intérieur, nous remarquons de nouvelles liaisons et de nouvelles différences d'un genre particulier. Quelle que puisse être l'hostilité des nations européennes entre elles, elles ont pourtant en esprit une parenté intime particulière qui les traverse toutes et transcende les différences nationales. Ce sont pour ainsi dire des nations sœurs, et cela nous donne la conscience d'être chez nous dans cet ensemble. C'est ce qui ressort immédiatement dès que nous considérons par exemple l'historicité indienne avec la pluralité de ses peuples et de ses formations culturelles. Dans cet ensemble-là, il y a bien aussi une unité de parenté familiale, mais qui nous est étrangère. De leur côté, les hommes de l'Inde nous vivent comme des étrangers et ce n'est qu'entre eux qu'ils se sentent compatriotes. Cependant cette différence essentielle, entre l'être chez soi et le sentiment d'étrangeté, qui se relativise en de nombreux niveaux, et qui est une catégorie fondamentale de toute historicité, n'est pas suffisante. L'humanité historique ne s'articule pas toujours de la même façon selon cette catégorie. Nous en voyons des traces justement dans notre Europe. Il y a dans l'Europe quelque chose d'un genre unique, que tous les autres groupes humains eux-mêmes ressentent chez nous, et qui est pour eux, indépendamment de toute question d'utilité, et même si leur volonté de conserver leur esprit propre reste inentamée, une incitation à s'européaniser cependant toujours davantage, alors que nous, si nous avons une bonne compréhension de nous-mêmes, nous ne nous indianiserons (par exemple) jamais. Mon opinion est que nous sentons (et ce sentiment, quelle que soit son obscurité, est bel et bien justifié) qu'il y a de façon innée dans notre humanité européenne une entéléchie qui domine, de part en part, le devenir de l'Europe dans la diversité de ses figures et qui lui donne le sens d'un développement vers une forme de vie et d'être idéale, comme vers un pôle éternel.

Une idée objective de l'histoire ?

Le point de vue de Husserl exprime la situation de sa pensée premièrement dans l'histoire de la philosophie, dans cet espace où s'accumulent les héritages conceptuels des philosophies, mais aussi deuxièmement dans le temps historique et dans l'espace géographique. Le lieu, la date de la conférence de Husserl, s'ajoutent à la considération du sujet et pèsent sur l'interprétation de ce texte. De sorte que l'ambition de faire valoir l'idée d'une entéléchie* européenne comme une idée objective soulève questions et suspicions. Cette idée n'est-elle pas une idée politique ? Comment pourrait-elle être conçue comme objective, ou conforme à la réalité ?

Plus généralement, comment parler objectivement de l'histoire, alors que le champ historique se donne comme le champ du multiple : multiplicité éparse des traces, multiplicité des témoignages, multiplicité des points de vue, notamment affectifs (de la neutralité à l'engagement passionné), etc. ? Si l'idée d'une histoire universelle est problématique, cela tient donc aussi de l'incertitude concernant les moyens de penser l'histoire objectivement.

Perspective 2

L'objectivité de l'histoire

Le passage de la théologie de l'histoire à la téléologie* de l'histoire est symptomatique de la forte tentation spéculative de trouver à l'histoire une explication qui donnerait non seulement la raison pour laquelle elle se déroule dans le temps (développement), mais aussi son sens ultime, ou sa signification fondamentale (direction). En outre, cette explication est cherchée hors de l'histoire : dans la Providence, dans la Civilisation conçue comme aboutissement final, ou dans la réalisation de l'Esprit. Ce sont des manières de rendre compte dans sa globalité de l'histoire en court-circuitant le fait même de l'écoulement du temps, en pensant qu'il est possible de prendre du « recul » par rapport au temps, de juger hors du temps. C'est en effet se situer hors du temps, s'abstraire du temps que de lui assigner une fin, et de croire possible de voir cette fin. Tout individu qui est impliqué dans un processus temporel (sa vie, l'évolution de la société dans laquelle il vit, le cours du monde, etc.) est privé de la possibilité d'en connaître la fin, il ne peut que l'imaginer.

L'histoire dans le temps, objet mouvant

L'histoire comme objet scientifique ?

Les théories qui assignent aux processus historiques un sens (donc à la fois une direction et une signification) semblent supposer que le processus historique est en son fond un processus logique. Mais précisément, ce dont le processus logique ne rend pas exactement compte, c'est du temps. Une relation temporelle entre deux événements ne se réduit pas à une relation logique ; deux événements qui sont successifs dans le temps n'entretiennent peut-être pas de relation causale. Il peut sembler ainsi problématique d'interpréter une relation temporelle (successivité) comme une relation déterminante. Les manières de penser l'histoire qui s'inspirent de modèles logiques imposent certaines manières de voir, certaines idées ; et les idées doivent être distinguées de ce dont elles sont les idées. Autrement dit : ce qui pose problème, c'est la coïncidence entre l'idée et la chose, et des points de vue sur l'histoire. Par conséquent, ce qui est en jeu ici, c'est l'objectivité de l'histoire. Il s'agit d'examiner s'il peut exister en histoire une objectivité au sens scientifique, c'est-à-dire une pensée qui résulte de méthodes réglementées et contrôlées s'opposant radicalement à l'idée préconçue, à l'opinion et au préjugé. Ici l'objectivité s'oppose de manière opératoire à la subjectivité, ou à tout point de vue sur une chose qui émane d'un sujet situé par rapport à cette chose qui ne transcende pas cette situation. Cette situation engage la question de la distance par rapport à l'objet considéré, et aussi la question de la suffisance du point de vue pour considérer l'objet sous tous ses angles. Dans le cas de l'histoire, la situation est complexe : d'abord, le point de vue est situé dans le temps, mais il l'est aussi dans l'espace social, autrement dit il émane d'un lieu déterminé à penser selon certains paradigmes*. S'agissant de la détermination temporelle du point de vue qui entend penser l'histoire dans sa vérité, la question qui se pose alors est celle de savoir si l'histoire passée peut être saisie comme un objet sans lien avec le présent, ou si le présent n'influence pas une certaine vision du passé, qui, le temps passant, deviendra datée, en fonction de ce que sera devenu le présent et du renouvellement des foyers d'interrogation. Ainsi l'enjeu de l'objectivité de l'histoire pose le problème de la possibilité de déterminer l'histoire comme objet scientifique. La considération de l'étymologie latine d'objet engage la question de savoir si l'histoire peut même être « placée devant », avant la question de la nature des procédures pour rendre scientifique cet objet. Le temps donc, duquel on ne peut se soustraire, pose le problème de la possibilité même d'une histoire objective.

Comment connaître le passé ?

Nous avons commencé par évoquer les tentatives de penser l'histoire sous la catégorie de la totalité et du sens, qui émanent plutôt de la spéculation philosophique. Mais qu'en est-il de l'histoire des historiens ? L'histoire des historiens correspond-elle à l'histoire objective, comme recomposant un miroir du passé que l'on contemple au présent ? Ce miroir serait recomposé à partir des traces, des fragments, des vestiges du passé qui ont survécu au passage du temps. Connaître le passé, est-ce le recomposer ? Mais recomposer le passé, est-ce le connaître comme révolu ? Ou est-ce reconnaître qu'il produit ses effets dans le présent ? Ces questions, qui ont une dimension métaphysique, l'historien ne les ignore pas. Situé dans le temps lui-même, il est loin de la situation du scientifique décrit par Martin Heidegger. À lire *L'Écriture de l'histoire* (Gallimard, 1975) de Michel de Certeau, lui-même historien, on s'en convainc, l'historien ne travaille pas dans l'oubli de ce dont il s'occupe, il n'oublie pas le caractère instable de sa position qui est dû à la nature de son objet d'étude, avec lequel il interagit au moins temporellement :

> La situation de l'historiographie fait apparaître l'interrogation sur le réel en deux positions bien différentes de la démarche scientifique : le réel en tant qu'il est *connu* (ce que l'historien étudie, comprend ou « ressuscite » d'une société passée) et le réel en tant qu'il est *impliqué* par l'opération scientifique (la société présente à laquelle se réfère la problématique de l'historien, ses procédures, ses modes de compréhension et finalement une pratique du sens). D'une part, le réel est le *résultat* de l'analyse, et, d'autre part, il est son *postulat*. Ces deux formes de la réalité ne peuvent être ni éliminées, ni ramenées l'une à l'autre. La science historique tient précisément dans leur rapport. [...] Certes, suivant les périodes ou les groupes, elle se mobilise de préférence sur l'un de ces deux pôles. Il y a en effet deux espèces d'histoires, selon que prévaut l'attention à l'une de ces positions du réel. Même si les croisements entre ces deux espèces l'emportent sur les cas purs, elles sont aisément reconnaissables. Un premier type d'histoire s'interroge sur ce qui est *pensable* et sur les conditions de la compréhension ; l'autre prétend rejoindre le *vécu*, exhumé grâce à une connaissance du passé. [...] Entre ces deux formes, il y a tension mais non opposition. Car l'historien est dans une position instable. S'il donne la priorité à un résultat « objectif », s'il vise à poser dans

son discours la réalité d'une société passée et à rendre à la vie un disparu, il reconnaît pourtant dans cette reconstitution l'ordre et l'effet
de son propre travail. Le discours destiné à dire *l'autre* reste *son* discours et le miroir de son opération.

Le passé apparaît problématique parce que fantomatique, fantasma-
tique et insaisissable en vérité alors même qu'il resurgit au cœur du travail de l'historien, comme objet visé, mais aussi comme ayant toujours
des effets dans le présent. Ce qui constitue le passé en objet de l'histoire, ce qui rend possible l'histoire, c'est la ligne mouvante du présent
qui institue un rapport à l'actualité et au passé dans un même mouvement. Mais précisément, ce qui rend possible le discours historique
est traversé par un mouvement qui lui est contraire, puisque le passé
ne cesse d'insister dans le présent et le présent informe ou détermine
rétrospectivement le passé. L'histoire des époques antérieures à la limite
change à toutes les époques. Le référent temporel de l'histoire n'est pas
stable.

Ainsi, Michel de Certeau poursuit :

> L'historien n'échappe pas à ces latences et à cette pesanteur d'un
> passé encore là (inertie que le traditionaliste appellera « continuité »,
> en attendant de la présenter comme la « vérité » de l'histoire). Il ne
> peut pas davantage faire abstraction des distanciations et des exclu-
> sives qui définissent l'époque ou la catégorie sociale à laquelle il
> appartient. Dans son opération, les permanences occultes et les rup-
> tures instauratrices s'amalgament. L'histoire le montre d'autant plus
> qu'elle a pour tâche de les différencier. La fragile et nécessaire fron-
> tière entre un objet passé et une praxis présente se met à bouger dès
> qu'au postulat fictif d'un *donné* à comprendre, on substitue l'exa-
> men d'une *opération* toujours affectée de déterminismes et toujours
> à reprendre, toujours dépendante du lieu où elle s'effectue dans une
> société, et pourtant spécifiée par un problème, des méthodes et une
> fonctions propres. L'histoire se joue donc là, sur les bords qui articu-
> lent une société avec son passé et l'acte de s'en distinguer.

Autrement dit, l'articulation d'une société et de son histoire est instable, car cette articulation constitue un enjeu, un enjeu notamment
politique. Elle est instable et elle est donc susceptible de plusieurs interprétations, notamment idéologiques. Comme le fait bien valoir l'histo-

rien penseur, il y a un nœud entre le dire historique et le faire social qui légitime qu'on pose la question de l'objectivité à qui pense et travaille sur l'histoire, et au premier chef l'historien qui écrit l'histoire, qui donc la fixe au moins pour un temps.

La tentation de l'opinion

De la politique...

On a donc deux coordonnées du problème de l'objectivité de l'histoire : à l'inscription nécessaire dans un temps déterminé et mouvant s'ajoute l'inscription dans un lieu social, duquel il est toujours difficile de se désinscrire. Le problème est renforcé mais dans un autre sens : si l'objectivité en histoire est problématique, c'est non seulement en raison de la nature singulière de ce qui en constitue l'étoffe ou la matière (le temps, ou plutôt la dynamique temporelle), mais c'est aussi parce que l'écriture de l'histoire et l'interprétation de la dynamique historique dépendent du lieu d'où cette interprétation émane, car il y a des esprits de partis qui animent certaines écoles. La réflexion de François Furet sur la Révolution française permet de mettre en perspective cet aspect et d'insister sur les difficiles conditions de possibilité de l'objectivité en histoire, notamment quand il s'agit de l'histoire politique récente ou fondatrice. Ainsi, le texte qui suit, tiré de *Penser la révolution française* de Furet (Gallimard, 1978), est extrait d'une première partie au titre significatif et symptomatique : « La Révolution française est terminée ». Ce « constat » faussement évident est plutôt conçu comme un rappel à l'ordre à l'intention des historiens de profession :

> L'historien qui étudie les rois mérovingiens ou la guerre de Cent Ans n'est pas tenu de présenter à tout moment son permis de recherches. La société et la profession lui consentent, pour peu qu'il en ait fait l'apprentissage technique, les vertus de patience et d'objectivité. La discussion des résultats ne mobilise que les érudits et l'érudition. L'historien de la Révolution française doit, lui, produire d'autres titres que sa compétence. Il doit annoncer ses couleurs. Il faut d'abord qu'il dise d'où il parle, ce qu'il pense, ce qu'il cherche; et ce qu'il écrit sur la Révolution a un sens préalable à son travail même : c'est

son *opinion*, cette forme de jugement qui n'est pas requise pour les Mérovingiens, mais qui est indispensable sur 1789 ou 1793. Qu'il la donne, cette opinion, et tout est dit, le voici royaliste, libéral ou jacobin. Voici que par ce mot de passe, son histoire a une signification, une place, un titre de légitimité.

Ce qui est surprenant n'est pas que cette histoire particulière, comme toute histoire, comporte des présupposés intellectuels. Il n'y a pas d'interprétation historique innocente, et l'histoire qui s'écrit est encore dans l'histoire, de l'histoire, produit d'un rapport par définition instable entre le présent et le passé, croisement entre les particularités d'un esprit et l'immense champ de ses enracinements possibles dans le passé. Mais si toute histoire implique un choix, une préférence, dans l'ordre de la curiosité, il ne s'ensuit pas qu'elle suppose une opinion sur le sujet traité. Pour que tel soit le cas, il faut que ce sujet mobilise chez l'historien et dans son public une capacité d'identification politique ou religieuse qui ait survécu au temps qui passe.

Or, c'est cette identification que le temps passé peut effacer, ou au contraire conserver, même renforcer, selon que le traité par l'historien continue, ou non, à épuiser le sens de son présent, de ses valeurs, et de ses choix. Le thème de Clovis et des invasions franques était brûlant au XVIIIᵉ siècle, parce que les historiens de l'époque y cherchaient la clé de la structure de la société de cette époque. Ils pensaient que les invasions franques étaient à l'origine de la division entre noblesse et roture, les conquérants étant la souche originelle des nobles, les conquis celle des roturiers. Aujourd'hui, les invasions franques ont perdu toute référence au présent puisque nous vivons dans une société où la noblesse n'existe plus comme principe social ; en cessant d'être le miroir imaginaire d'un monde, elles ont perdu l'éminence historiographique dont ce monde les avait revêtues, et sont passées du champ de la polémique sociale à celui de la discussion savante.

C'est qu'à partir de 1789, la hantise des origines, dont est tissée toute histoire nationale, s'investit précisément sur la rupture révolutionnaire. Comme les grandes invasions avaient constitué le mythe de la société nobiliaire, le grand récit de ses origines, 1789 est la date de naissance, l'année zéro du monde nouveau, fondé sur l'égalité. [...]

Or, l'histoire de la Révolution a pour fonction sociale d'entretenir ce récit des origines. Qu'on regarde par exemple le découpage académique des études historiques en France : l'histoire « moderne » se termine en 1789, avec ce que la Révolution a baptisé l'« Ancien Régime », qui se trouve ainsi avoir, à défaut d'un acte de naissance clair, un constat de décès en bonne et due forme. À partir de là, la

Révolution et l'Empire forment un champ d'études séparé et autonome, qui possède ses chaires, ses étudiants, ses sociétés savantes, ses revues; le quart de siècle qui sépare la prise de la Bastille de la bataille de Waterloo est revêtu d'une dignité particulière : fin de l'époque «moderne», introduction indispensable à la période «contemporaine», qui commence en 1815, il est cet entre-deux par quoi l'une et l'autre reçoivent leur sens, cette ligne de partage des eaux à partir de laquelle l'histoire de France remonte vers son passé, ou plonge vers son avenir. En restant fidèles à la conscience vécue des acteurs de la Révolution, malgré les absurdités intellectuelles que ce découpage chronologique implique, nos institutions universitaires ont investi la période révolutionnaire et l'historien de cette période des secrets de notre histoire nationale. 1789 est la clé de l'amont et de l'aval. Il les sépare, donc les définit, donc les «explique».

Ce passage, d'une remarquable clarté, et d'une charge critique explosive, donne tout son sens à l'affirmation de Michel Foucault, selon lequel désormais «le problème n'est plus de la tradition et de la trace, mais de la découpe et de la limite» (*L'Archéologie du savoir*, Gallimard, 1969). Autrement dit, la confrontation du discours historique à d'autres discours est un enjeu fondamental pour qui se pose la question de l'objectivité de l'histoire.

... à l'idéologie

Cette confrontation permet de voir la différentiation du discours historique par rapport à d'autres discours (politiques notamment), ou au contraire sa confiscation ou son aliénation par rapport à ces discours. François Furet met directement en cause la prise de parti militante pour penser objectivement l'histoire, et l'écrire. Ce faisant, c'est «l'historiographie marxiste» dominante à cette époque (les années 1970) qui est en cause. La manière qu'emploie François Furet pour rejeter l'interprétation dominante est de remettre en question l'explication de la Révolution française par la promotion de la bourgeoisie contre l'aristocratie et les liens que cette historiographie tisse entre 1793 et 1917. C'est chez Karl Marx, en effet, que l'on trouve cette idée que la Révolution française a accouché de la société bourgeoise, comme cet extrait de *La Sainte Famille* (1845) le formule clairement :

Dans la Révolution de 1789, l'*intérêt* de la bourgeoisie, loin d'être « manqué », a tout gagné et a eu l'effet le plus durable, bien que se fût évanoui le « pathos » et se fussent fanées les fleurs « enthousiastes » dont l'intérêt avait couronné son berceau. La puissance de cet intérêt fut telle qu'il vainquit glorieusement la plume d'un Marat, la guillotine des Hommes de la Terreur, le glaive de Napoléon, tout comme le crucifix et le pur sang des Bourbons. La Révolution n'est manquée que pour la masse qui ne possédait pas dans l'idée *politique* l'idée de son « intérêt » réel, dont le vrai principe vital ne se confondait donc pas avec le principe vital de la révolution et dont les conditions pratiques d'émancipation diffèrent essentiellement des conditions qui permettaient à la bourgeoisie de s'émanciper elle-même et d'émanciper la société.

Cette analyse est politique, elle permet de penser les rapports de force en présence. Il s'agit donc d'une interprétation qui diffère par nature du travail de l'historien. Cependant la force dynamique de cette analyse contient une puissante séduction eu égard à la clarté du schéma mis en valeur. Mais justement il s'agit d'une synthèse schématique, dynamique, qui permet non pas de penser l'histoire de la Révolution française pour elle-même, mais la révolution qui reste à venir. Se mêle donc là l'intérêt non pas seulement du théoricien, mais du militant.

Impossible impartialité ?

La distance de l'historien

La clé de l'objectivité en histoire réside-t-elle alors dans la distance prise par l'historien ? La distance est-elle une garantie de neutralité et une condition de l'impartialité ? C'est certainement une exigence fondamentale, mais visiblement délicate à respecter. Hannah Arendt, dans « Le Concept d'histoire » (*La Crise de la culture*, recueil d'articles paru en 1972), précise cette exigence qui pèse sur l'historien :

> Le problème de l'objectivité dans les sciences historiques est plus qu'un embarras scientifique, purement technique. L'objectivité, l'« extinction du soi » comme condition de la « pure vision » (*das reine*

Sehen des Dinge – Ranke) signifiait que l'historien s'abstenait de distribuer la louange ou le blâme, en même temps qu'une attitude de parfaite distance dans laquelle il suivait le cours des événements tels qu'ils étaient révélés dans ses documents et dans ses sources. Pour lui la seule limitation de cette attitude [...] résidait dans la nécessité de sélectionner les matériaux à partir d'une masse de faits qui, en regard de la capacité limitée de l'esprit humain et du temps limité de la vie humaine, paraissait infinie. L'objectivité, en d'autres termes, signifiait le refus d'interférer aussi bien que le refus de juger. Des deux, le refus de juger, le fait pour l'historien de s'abstenir de la louange ou du blâme, était évidemment beaucoup plus facile à réaliser que la non-interférence; toute sélection de matériel est en un sens une intervention dans l'histoire, et tous les critères de sélection placent le cours historique des événements dans certaines conditions dont l'homme est l'auteur et qui sont parfaitement analogues aux conditions que le physicien prescrit aux processus naturels dans l'expérience.

Il est remarquable que Hannah Arendt considère « facile » pour l'historien de s'abstenir de tout jugement affectif par rapport à la période qu'il étudie, alors que les analyses de François Furet pointaient au contraire le caractère courant de ces jugements affectifs à l'occasion de sujets plus brûlants que d'autres. Mais ce que souligne Hannah Arendt, c'est qu'en comparaison la dimension pour ainsi dire expérimentale, ou interventionniste, de l'activité de l'historien (sélectionner, trier, définir un cadre d'analyse, proposer des hypothèses, etc.) est irréductible, alors qu'il est possible qu'un historien s'abstienne de louer, de blâmer ou, de façon générale, de prendre parti. Et cependant la position de la neutralité dans la modernité semble difficile à tenir, ce que met en avant la suite de l'analyse de Hannah Arendt, qui oppose les réflexes de l'historiographie moderne, accaparée par les questions de sa légitimation scientifique et de son appareillage méthodologique, à l'attitude antique, qui offre encore un modèle d'impartialité, de désir d'enquête désintéressée. Or il est crucial de clarifier ce point car, pour reprendre les termes de la philosophe, « la question de l'impartialité [est] décisive en vérité non seulement pour la "science" de l'histoire, mais pour toute historiographie qui s'affranchit de la poésie et de la légende », et cette impartialité est aujourd'hui devenue difficile à reconnaître :

L'impartialité, et avec elle toute historiographie vraie, est venue au monde quand Homère décida de chanter les actions des Troyens non moins que celles des Achéens, et d'exalter la gloire d'Hector non moins que la grandeur d'Achille. Cette impartialité homérique, à laquelle fait écho Hérodote, quand il tente d'empêcher «les grandes et étonnantes actions des Grecs *et* des Barbares de perdre leur juste tribut de gloire[1]», est encore le plus haut type d'objectivité connu. Non seulement elle s'affranchit de la partialité et du chauvinisme qui, jusqu'à nos jours, caractérisent quasiment toute historiographie nationale, mais elle se désintéresse aussi de l'alternative de la victoire et de la défaite, dont les modernes ont cru qu'elle exprime le jugement «objectif» de l'histoire elle-même, et ne lui permet pas de marquer ce qui est jugé digne de louange immortalisante. Un peu plus tard, et trouvant sa plus magnifique expression dans Thucydide, apparaît encore dans l'historiographie grecque un autre élément puissant qui contribue à l'objectivité historique. Il n'a pu venir au premier plan qu'après une longue expérience de la vie de la polis. Celle-ci, dans une mesure incroyablement grande, consistait en discussions entre citoyens. Dans ce parler incessant les Grecs découvrirent que le monde que nous avons en commun est habituellement constitué d'un nombre infini de situations différentes, auxquelles correspondent les points de vue les plus divers. Dans un flot d'arguments tout à fait inépuisable, tels que les Sophistes en présentaient aux citoyens d'Athènes, le Grec apprenait à échanger son propre point de vue, sa propre «opinion» – la manière dont le monde lui apparaissait et s'ouvrait à lui (*dokeî*[2], moi, «il m'apparaît», d'où vient *doxa*, ou «opinion») – avec ceux de ses concitoyens. Les Grecs apprenaient à *comprendre* – non à se comprendre l'un l'autre en tant que personnes individuelles, mais à envisager le même monde à partir de la perspective d'un autre Grec, à voir la même chose sous des aspects très différents et fréquemment opposés. Les discours dans lesquels Thucydide fait s'énoncer les positions et les intérêts des parties en guerre demeure un témoignage vivant du degré extraordinaire de cette objectivité.

---

1. C'est Hannah Arendt qui souligne.
2. Nous avons translittéré l'alphabet grec du texte d'Arendt.

Différence entre l'attitude antique et l'attitude moderne

Hannah Arendt, explicitant le concept d'histoire, est conduite à opposer le concept antique et le concept moderne en articulant d'une part le premier avec un échange essentiel de points de vue différents voire divergents, et d'autre part le second avec la disparition d'une distinction conceptuelle forte entre l'histoire et la nature. Cette relégation à l'arrière-plan du concept de nature au profit de celui d'histoire, voire sa disqualification au regard de l'incomparable importance de l'histoire (pour l'homme moderne), a pour conséquence de faire perdre son évidence à l'idée d'objectivité des événements. L'objectivité *en soi* des événements historiques – considérés comme réels au même titre que les choses naturelles – est précisément ce que fait valoir le concept antique de l'histoire tel que Hannah Arendt l'explicite. « L'historiographie grecque et romaine, si différentes qu'elles soient l'une de l'autre, ont toutes deux pris comme allant de soi que la signification ou, comme disaient les Romains, la leçon de chaque événement, action, ou occurrence est révélée en et par lui-même. [...] la causalité et le contexte étaient vus dans une lumière fournie par l'événement lui-même et qui illuminait un segment spécifique des affaires humaines ; ils n'étaient pas envisagés comme ayant une existence indépendante dont l'événement serait seulement l'expression plus ou moins accidentelle bien qu'adéquate. » Cette analyse place l'attitude moderne à l'opposé : sous l'influence du développement moderne des sciences de la nature, devant l'élargissement inouï de la perspective du progrès technique à disposition de l'homme, qui est bien devenu, ainsi que l'a fort bien vu René Descartes, « comme maître et possesseur de la nature », la conception moderne de l'histoire met l'accent sur le caractère construit du développement historique en tant qu'il est le résultat du faire humain. Si Hannah Arendt, dans la suite de son analyse, rappelle qu'« Hérodote voulait dire "ce qui est" (*legeinta eonta*) », c'est pour mieux opposer cette approche réaliste (ou essentialiste*) à l'approche constructiviste* qui caractérise la modernité.

Événements, faits, connaissance et interprétation : l'enjeu critique de ces distinctions

La chose et le concept

L'histoire se pense-t-elle comme donnée ou comme construite ? Alternativement, elle peut se penser selon l'une ou l'autre perspective, ce que le latin désigne par la distinction de deux expressions : *res gestae* et *historia rerum gestarum*, ce qui est advenu (processus réel) et le récit de ce qui est advenu (toute histoire réfléchie et rédigée : l'histoire des historiens, mais aussi l'histoire des philosophes). Cette distinction renvoie à une distinction opératoire en philosophie : la distinction entre la chose même, ou en soi, et le concept, ou l'idée que l'esprit forme quand il vise la chose. Mais l'histoire se pense aussi selon les deux perspectives en tant qu'elles sont confondues – c'est sans doute cet aspect du concept d'histoire qui signale sa tension intrinsèque et sa dimension essentiellement problématique. Le sémantisme du vocable allemand *Geschichte* signale matériellement cette « synthèse ». À ce propos, immédiatement, la question se pose de savoir si cette synthèse tire du côté du concept ou du côté de la chose. Désignant à la fois le récit de l'événement et l'événement lui-même, le terme « histoire », comme celui de *Geschichte*, utilisé dans ce sens, semble impliquer une thèse non pas sur l'histoire-réellement-advenue, mais sur l'histoire-récit comme pouvant dire la vérité de l'histoire, comme son autre face. En effet : si la facticité* des événements historiques (le fait que ça arrive et que ça laisse une trace matérielle qui permette non seulement de dire, mais de prouver que « ça s'est passé ») constitue le fondement de l'indubitabilité de leur réalité, alors le récit de l'histoire, considéré comme son double, récupère de façon inaperçue les avantages de la facticité historique, autrement dit passe pour objectif par le simple fait de se référer à ces événements réels.

Histoire advenue et histoire racontée

Par son identification aux événements conçus comme réels, l'histoire rédigée affirme par là sa véridicité, et incarne alors le contraire de l'affabulation et de la fiction. Elle est à la fois l'autre de l'opinion vague et fausse (en tant que connaissance), mais aussi l'autre de la littérature (en tant que connaissance conforme au réel). C'est dans ce sens qu'il faut comprendre l'historicisation progressive de tous les domaines de la connaissance avec le développement du positivisme et du marxisme au XIXᵉ siècle, historicisation qui marque nos manières de penser et d'appréhender la réalité aujourd'hui même. Pour reprendre notre question de départ, avec la synthèse entre l'histoire réellement advenue et son récit, l'histoire est finalement pensée comme une chose que l'historien, le penseur a loisir d'observer. Les événements se pensent donc comme des données dont leur récit rend compte. C'est ce que formule, de manière très claire, le philosophe et historien Hippolyte Taine (1828-1893), convaincu que l'historien doit traiter les événements historiques comme des faits naturels : « On permettra à l'historien d'agir en naturaliste ; j'étais devant mon sujet comme devant la métamorphose d'un insecte. » Son ouvrage *L'Introduction à l'étude de l'histoire expérimentale*, qui paraît en 1866, est un manifeste en faveur de l'histoire scientifique : l'histoire appartient au champ de l'expérimentation au même titre que la physiologie et, par conséquent, on doit pouvoir lui appliquer les mêmes méthodes qu'aux sciences naturelles. Les événements, ainsi, semblent pouvoir se penser comme des faits donnés qu'il s'agit d'observer.

Qu'est-ce qu'un fait ?

Pourtant, à son tour, la notion de fait ne semble pas aller de soi, car elle implique aujourd'hui un certain esprit scientifique qui conteste la possibilité de considérer qu'il existe quelque chose comme des faits bruts, donnés et observables comme tels par la science. Gaston Bachelard (1884-1962) a bien synthétisé la spécificité de l'approche scientifique du réel en une formule qui a fait carrière : « Rien n'est donné, tout est construit », conception qui est l'héritière du criticisme* d'Emmanuel Kant. On retrouve donc ici la perspective constructiviste*, qui s'oppose aux perspectives essentialistes* et empiristes. C'est le caractère critique de l'approche constructiviste qui doit être ici bien mis en avant. Il s'agit en effet d'interroger un peu plus ce qui se présente comme un donné, et de se demander pourquoi cela prend cette apparence. Un exemple paradigmatique* de cette approche critique en histoire est fourni par la réflexion et l'œuvre de Lucien Febvre, fondateur avec Marc Bloch de ladite école des Annales, qui a promu dans les années 1930 en France une révolution méthodologique dans la pratique de l'histoire et de son écriture, contestant notamment la pertinence et la validité de l'histoire-récit chronologique. L'historien entend en effet introduire en histoire une pratique y faisant valoir une approche problématique, contre une simple approche chronologique et narrative, qui a la prétention de présenter les faits tels qu'ils se sont produits en réalité. Ainsi l'historien théoricien des Annales, dans son *Discours inaugural au Collège de France*, prononcé en 1933, met-il en question l'évidence du rapport entre l'événement et le texte d'une part, et d'autre part entre l'événement et l'histoire elle-même :

> Mais par les textes on atteignait les faits ? Or, chacun le disait, l'histoire c'est établir les faits, puis les mettre en œuvre. Et c'était vrai, et c'était clair, mais en gros, et surtout si l'histoire était tissée, uniquement ou presque, d'événements. Tel roi était né en tel lieu, telle année ? Avait-il, en tel endroit, emporté sur ses voisins une victoire décisive ? Rechercher tous les textes qui de cette naissance ou de cette bataille font mention ; trier parmi eux les seules dignes de créance ; avec les meilleurs composer un récit exact et précis : tout cela ne va-t-il pas sans difficulté ?
>
> Mais déjà, qu'à travers les siècles la livre tournois soit allée se dépréciant progressivement ; qu'à travers telle suite d'années les salaires aient baissé, ou le prix de la vie haussé ? Des faits historiques, sans doute, et plus importants à nos yeux que la mort d'un souverain ou la conclusion d'un éphémère traité. Ces faits les appréhende-t-on d'une prise directe ? Mais non : des travailleurs patients, se relayant, se succédant, les fabriquent lentement, péniblement, à l'aide des milliers d'observations judicieusement interrogées et de données numériques extraites, laborieusement, de documents multiples : fournies telles quelles par eux, jamais, en vérité. Qu'on n'objecte pas : « Des collections de faits et non des faits… » Car le fait en soi, cet atome prétendu de l'histoire, où le prendrait-on ? L'assassinat de Henri IV par Ravaillac, un fait ? Qu'on veuille l'analyser, le décomposer en ses éléments, matériels les uns, spirituels les autres, résultats combinés de lois générales, de circonstances particulières de temps et de lieux, de circonstances propres enfin à chacun des individus,

connus et ignorés, qui ont joué un rôle dans la tragédie : comme bien vite on verra se diviser, se décomposer, se dissocier un complexe enchevêtré... Du donné ? Mais non, du créé par l'historien, combien de fois ? De l'inventé, du fabriqué, à l'aide de l'hypothèse et de conjectures, par un travail délicat et passionnant.

[...] Et voilà de quoi ébranler sans doute une autre doctrine, si souvent enseignée naguère. « L'historien ne saurait choisir les faits. Choisir ? de quel droit ? au nom de quel principe ? Choisir, la négation de l'œuvre scientifique... » – Mais toute histoire est choix.

Elle l'est, du fait même du hasard qui a détruit ici, et là sauvegardé les vestiges du passé. Elle l'est du fait de l'homme : dès que les documents abondent, il abrège, il simplifie, met l'accent sur ceci, passe l'éponge sur cela. Elle l'est du fait, surtout, que l'historien crée ses matériaux ou, si l'on veut, les recrée : l'historien, qui ne va pas rôdant au hasard à travers le passé, comme un chiffonnier en quête de trouvailles, mais part avec, en tête, un dessein précis, un problème à résoudre, une hypothèse de travail à vérifier. [...] L'essentiel de son métier consiste à créer pour ainsi dire les objets de son observation, à l'aide de techniques souvent fort compliquées. Et puis, ces objets acquis, à « lire » ses coupes et ses préparations. [...] Élaborer un fait, c'est construire. Si l'on veut, c'est à une question fournir une réponse. Et s'il n'y a pas de question, il n'y a que du néant.

D'après ce qui précède, l'historien doit aborder le matériau de l'histoire, armé de toute une série de questions qui permettent de faire « parler » les documents, de leur donner sens. Le travail de l'historien ne consiste donc pas à suivre, mécaniquement, une chronologie donnée, mais au contraire à faire surgir l'étoffe et la complexité d'une époque. L'historien doit être armé d'une batterie de questions, qui ne s'accommodent guère de certitudes, et par conséquent ne doit jamais se départir de son sens critique. Cela se justifie notamment par la responsabilité qui lui incombe en raison de l'impact de son travail sur la mémoire collective et sur la connaissance qu'une société peut avoir d'elle-même.

Éclairer le passé ?

On a abordé ici les conditions de possibilité d'une connaissance historique, étroitement dépendante des procédures réglées de recherche et d'interrogation des documents. Mais ce faisant, on a aussi abordé les limites de cette connaissance, en tant que son objet n'est pas donné mais constamment susceptible d'être construit puis reconstruit. L'enjeu alors est surtout de mettre en perspective les processus historiques, et pour cela le moyen est d'interroger et d'interpréter sources et documents.

Mais il semble, à ce stade, qu'il s'agisse moins de rétablir la vérité sur le passé que de l'éclairer ou de le rendre intelligible et rationnel. Or rendre intelligible et rationnelle l'histoire, c'est peut-être aller contre ce que ce champ d'expériences passées et diverses est au fond, *a priori* de toute pensée : occurrence, événement, avènement. Ramenée encore à sa facticité, l'histoire serait, comme le pensait Sextus Empiricus (IIe-IIIe siècle), une matière fondamentalement informe, *amethodos hûlé*, un domaine mixte, essentiellement bariolé, pas seulement en surface.

Cependant, ce qui résiste à une conception « amorphe » de l'histoire, c'est tout simplement la possibilité même de la mettre en intrigue, en récit. Comme dans un récit, ce qui arrive déplace des données et fait qu'un ensemble avance, au moins dans le temps. L'histoire rédigée est le signe d'une dynamique qu'on cherche à penser dans l'histoire.

Perspective 3

Le dynamisme de l'histoire

Comment les faits s'enchaînent-ils ? Cette question recouvre deux aspects. Elle attire d'abord l'attention sur cet enchaînement même. Ensuite, elle porte sur la nature de cet enchaînement. Car non seulement les faits se succèdent dans le temps, mais ils paraissent s'engendrer les uns les autres. La question porte alors sur la raison du dynamisme historique et sur la nature de ce dynamisme. Autrement dit, l'enjeu de cette question est la nature de la causalité historique.

Mais il s'agit d'une part de s'interroger sur la manière d'identifier des processus en histoire qui produisent des effets (des changements), et d'autre part de se demander quelles sont les causes qui produisent ces effets. Sont-ils nécessaires* ou contingents* ? On pourrait en outre étendre la perspective et se demander si cette interrogation sur l'existence d'une causalité à l'œuvre dans l'histoire – qui plus est si elle est conçue sur le modèle déterministe* – permet d'envisager l'identification de lois historiques, sur le modèle des sciences physiques, qui sont passées d'une interrogation sur la cause à la recherche de lois. Selon que l'on pense le dynamisme historique sur le modèle des sciences naturelles, l'histoire n'est pas le résultat de la liberté humaine, par laquelle on a eu coutume de justifier le fait que l'histoire paraît souvent aberrante à l'esprit humain.

Le changement historique

Changement et événement

Le sens du changement, voilà peut-être ce qui éveillé le sens de l'histoire. Ce sens du changement consiste à repérer le passage, la transition d'un état de fait à un autre, différent, qui marque une époque nouvelle. Ce changement qui est propre à l'histoire apparaît comme une affaire de grande échelle. D'où l'importance accordée par l'historiographie de l'école des Annales à la longue durée, permettant d'étudier des processus de changement ou d'évolution au cours du temps. Cette approche peut modifier l'appréhension de l'événement singulier, qui ne correspond peut-être pas à la manière dont on se le représente d'ordinaire, à ce sens que lui a conféré le langage d'instant décisif, d'instant qui sépare irrémédiablement un avant d'un après. Le langage et l'opinion attachent en effet à l'événement l'idée d'irréversibilité. Alors que le changement que représente la Révolution française – on prend cet exemple car il est généralement pensé sous la catégorie d'événement – ne se laisse sans doute pas réduire à *un* événement, fût-ce la prise de la Bastille. Car ce changement est constitué de plusieurs faisceaux d'événements successifs, qui s'étendent sur une plus ou moins longue période. Rares sont les événements décisifs qui font basculer par leur avènement une situation installée dans le temps. Car les situations s'installent dans le temps et dans le même temps changent nécessairement, parfois imperceptiblement. Ainsi au moment où Chateaubriand écrit ses *Mémoires*, la Révolution française n'est pas finie. C'est du moins la position de François Furet, qui pose clairement le problème de la datation de ce qui apparaît davantage comme des lignes de force, comme des moments dynamiques, que comme des événements ponctuels, isolables :

> Même dans le court terme, elle n'est pas facile à « dater » : selon le sens que l'historien attribue aux principaux événements, il peut l'enfermer dans l'année 1789, année où l'essentiel du bilan terminal est acquis, la page de l'Ancien Régime tournée – ou l'étendre jusqu'à 1794, jusqu'à l'exécution de Robespierre, en mettant l'accent sur la dictature des comités et des sections, l'épopée jacobine, la croisade égalitaire de l'an II. Ou aller jusqu'au 18 Brumaire 1799, s'il veut respecter ce que les thermidoriens conservent de jacobin, le gouver-

nement des régicides et la guerre avec l'Europe des rois. O[...]
intégrer à la Révolution l'aventure napoléonienne, soit ju[...]
fin de la période consulaire, soit jusqu'au mariage Habsbourg, soit
jusqu'aux Cent-Jours : tous ces découpages chronologiques peuvent
avoir leur raison d'être.
Je rêve aussi d'une histoire de la Révolution infiniment plus longue, beaucoup plus étirée vers l'aval, et dont le terme n'intervient
pas avant la fin du XIXᵉ siècle ou le début du XXᵉ siècle. Car l'histoire du XIXᵉ siècle français tout entier peut être considérée comme
l'histoire d'une lutte entre la Révolution et la Restauration, à
travers des épisodes qui seraient 1815, 1830, 1848, 1851, 1870, la
Commune, le 16 mai 1877. Seule la victoire des républicains sur les
monarchistes, dans les débuts de la IIIᵉ République, signe définitivement la victoire de la Révolution dans les profondeurs du pays
(*Penser la Révolution française*, « La Révolution française est terminée »,
« Folio histoire » n° 3).

On retrouve ici, sur le plan de l'histoire, le problème du rapport entre
le continu et le discontinu : de la même manière qu'une droite ne peut
pas être pensée comme une juxtaposition de points, l'histoire ne peut
pas être pensée comme une suite d'événements ponctuels et disjoints.
Il faut en effet un angle qui permette de prendre en compte une dynamique produisant le changement. Cette perspective implique une critique d'une histoire événementielle et de l'attention portée à des détails
« insignifiants ».

Une vision générale et dynamique de l'histoire

L'ouvrage de Voltaire *Essai sur l'histoire générale et sur les mœurs et l'esprit des nations depuis Charlemagne jusqu'à nos jours*, datant de 1756,
a marqué un changement dans la façon de se représenter l'historicité.
Voltaire en effet a introduit une vision générale de l'histoire, c'est-à-dire
panoramique et dynamique – on distinguera donc ici général d'universel. Et il réfléchit à la fois en philosophe et en historien. Voltaire invite à
ne pas se satisfaire de la simple anecdote et à repérer les questions qui
sont proprement historiques, c'est-à-dire qui permettent d'expliquer et
de comprendre les changements qui se produisent inévitablement :

> On a grand soin de dire quel jour s'est donnée une bataille et on a
> raison. On imprime les traités, on décrit la pompe d'un couronne-

ment, la cérémonie de la réception d'une barrette, et même l'entrée d'un ambassadeur dans laquelle on n'oublie ni son suisse ni ses laquais. Il est bon qu'il y ait des archives de tout, afin qu'on puisse les consulter dans le besoin; et je regarde à présent tous les gros livres comme des dictionnaires. Mais après avoir lu trois ou quatre mille descriptions de batailles, et la teneur de quelques centaines de traités, j'ai trouvé que je n'étais guère plus instruit au fond. Je n'apprenais là que des événements. Je ne connais pas plus les Français et les Sarrasins par la bataille de Charles Martel, que je ne connais les Tartares et les Turcs par la victoire que Tamerlan remporta sur Bajazet. J'avoue que quand j'ai lu les mémoires du Cardinal de Retz et de Madame de Motteville, je sais ce que la reine mère a dit mot pour mot à M. de Jersai; j'apprends comment le coadjuteur a contribué aux barricades; je peux me faire un précis des longs discours qu'il tenait à Mme de Bouillon : c'est beaucoup pour ma curiosité; c'est pour mon instruction très peu de choses. [...]

Je voudrais apprendre quelles étaient les forces d'un pays avant une guerre, et si cette guerre les a augmentées ou diminuées. L'Espagne a-t-elle été plus riche avant la conquête du nouveau monde qu'aujourd'hui ? De combien était-elle plus peuplée du temps de Charles Quint que sous Philippe IV ? Pourquoi Amsterdam contenait-elle à peine vingt mille âmes il y a deux cents ans ? Pourquoi a-t-elle aujourd'hui deux cent quarante mille habitants ? Et comment le sait-on positivement ? De combien l'Angleterre est-elle plus peuplée qu'elle ne l'était sous Henri VIII ? Serait-il vrai, ce qu'on dit dans les *Lettres persanes*, que les hommes manquent à la terre, et qu'elle est dépeuplée en comparaison de ce qu'elle était il y a deux mille ans ? Rome, il est vrai, avait alors plus de citoyens qu'aujourd'hui. J'avoue qu'Alexandrie et Carthage étaient des grandes villes; mais Paris, Londres, Constantinople, le grand Caire, Amsterdam, Hambourg, n'existaient pas. Il y avait trois cents nations dans les Gaules; mais ces trois cents nations ne valaient pas la nôtre ni en nombre d'hommes ni en industrie. L'Allemagne était une forêt : elle est couverte de cent villes opulentes. Il semble que l'esprit critique lassé de ne chasser que des particuliers, ait pris pour objet l'univers. On crie toujours que ce monde dégénère; et on veut encore qu'il se dépeuple. Quoi donc! nous faudra-t-il regretter les temps où il n'y avait pas de grand chemin de Bordeaux à Orléans, et où Paris était une petite ville dans laquelle on s'égorgeait? On a beau dire, l'Europe a plus d'hommes qu'alors et les hommes valent mieux.

On voit la manière dont Voltaire rend manifeste l'importance du questionnement pour comprendre réellement quel est l'enjeu de l'histoire. Il fait valoir de grandes évolutions, de grands changements, qu'il repère et circonscrit à l'aide de séries de questions. Ce mode interrogatif manifeste la perplexité du chercheur, perplexité qui est un préalable nécessaire pour mettre en œuvre une recherche dans une bonne direction. Ici la perplexité de Voltaire naît devant l'accumulation de descriptions d'événements, accumulation quantitative qui n'engage à aucune réflexion sur l'histoire. Par opposition, les grandes évolutions qu'il dessine à grands traits, en ayant le soin de faire valoir une interrogation sur leurs causes, mettent en avant le concept dynamique de processus.

Mais quels sont les moteurs de ces processus ?

Qui fait l'histoire ?

L'histoire comme progrès

La fin du texte de Voltaire que nous venons de citer met en avant un thème permettant d'envisager cette question sous un certain angle. Cet angle est celui du progrès. En effet, Voltaire ne laisse aucune ambiguïté quant à son opinion concernant la « valeur » de son époque : ses contemporains « valent » mieux que les générations précédentes – les hommes progressent moralement – et les sujets peuvent bénéficier d'un plus grand confort de vie – c'est l'aspect matériel et technique du progrès. L'histoire est donc bien ici conçue sous la catégorie de progrès, thème cher aux philosophes des Lumières. L'histoire est pensée comme une marche en avant, une progression vers une victoire de l'esprit et de la raison sur l'ignorance, la barbarie et l'infamie. Quel est le moteur de cette progression ? Qu'est-ce qui explique la possibilité d'une amélioration du sort des hommes au moral et au physique ?

La nature perfectible de l'homme

C'est l'homme, mais en tant qu'il est un être doué de raison. Ce qui est déterminant ici, c'est non pas l'individu en tant que tel mais la nature qu'il a en commun avec les autres individus. C'est donc l'homme en général, ou sa nature, qui est le moteur de l'histoire. Plus précisément, cette nature humaine a ceci de particulier qu'elle est perfectible et c'est cela qui inscrit dans le temps son évolution – ainsi Jean-Jacques Rousseau affirme-t-il que l'homme est doté d'une « faculté de se perfectionner » dans le *Discours sur l'origine et les fondements de l'inégalité parmi les hommes* (1755). L'homme perfectible peut être éduqué, peut se corriger de ses premières impulsions pour agir plus conformément aux intérêts des autres et aux siens ; autrement dit : il est susceptible de s'améliorer moralement. Cet aspect renvoie précisément à la nature perfectible de l'esprit humain. Condorcet va développer cette idée et faire valoir le sens d'un processus irréversible s'accomplissant dans la succession des époques. C'est dans *Esquisse d'un tableau historique des progrès de l'esprit humain* (1793-1794) que Condorcet développe avec force ses idées rationalistes, auxquelles il adhère au-delà de la circonstance historique de la Terreur, qui lui sera pourtant fatale. L'obscurité de certains moments historiques ne constitue pas une objection à ses idées progressistes, comme on va le voir.

> Tel est le but de l'ouvrage que j'ai entrepris, et dont le résultat sera de montrer, par le raisonnement et par les faits, qu'il n'a été marqué aucun terme au perfectionnement des facultés humaines ; que la perfectibilité de l'homme est réellement indéfinie ; que les progrès de cette perfectibilité, désormais indépendante de toute puissance qui voudrait les arrêter, n'ont d'autre terme que la durée du globe où la nature nous a jetés. Sans doute, ces progrès pourront suivre une marche plus ou moins rapide, mais jamais elle ne sera rétrograde ; du moins tant que la terre occupera la même place dans le système de l'univers, et que les lois générales de ce système ne produiront sur ce globe, ni un bouleversement général, ni des changements qui ne permettraient plus à l'espèce humaine d'y conserver, d'y déployer les mêmes facultés, et d'y trouver les mêmes ressources.

Il s'agit donc de retracer, dans l'histoire, l'histoire des progrès de l'esprit humain. L'idée de progrès est ici articulée à (et soutenue par) la durée indéfinie du temps, ce qui ouvre la perspective : le progrès (du latin *progressus*, « marche en avant ») est une amélioration liée au temps. Et l'histoire des développements techniques et technologiques atteste un des aspects de l'idée de perfectibilité humaine indéfinie.

Mais en est-il de même d'un progrès moral de l'humanité ? L'homme se perfectionne-t-il moralement au cours du temps, au cours de l'histoire ? De fait, Condorcet associe dans son propos les deux aspects, matériel et moral. Et il affirme que la progression de l'humanité ne sera jamais rétrograde, mais il prendra le soin de rendre compte du fait que l'histoire ne va pas en ligne droite. Comment ? En faisant l'histoire des erreurs et des préjugés des hommes à travers les temps :

> Nous exposerons l'origine, nous retracerons l'histoire des erreurs générales qui ont plus ou moins retardé ou suspendu la marche de la raison, qui souvent même, autant que les événements politiques, ont fait rétrograder l'homme vers l'ignorance. Les opérations de l'entendement qui nous conduisent à l'erreur ou qui nous y retiennent, depuis le paralogisme subtil, qui peut surprendre l'homme le plus éclairé, jusqu'aux rêves de la démence, n'appartiennent pas moins que la méthode de raisonner juste ou celle de découvrir la vérité, à la théorie du développement de nos facultés individuelles [...]. On peut même observer que, d'après les lois générales du développement de nos facultés, certains préjugés ont dû naître à chaque époque de nos progrès, mais pour étendre bien au-delà leur séduction ou leur empire, parce que les hommes conservent encore les erreurs de leur enfance, celles de leur pays et de leur siècle, longtemps après avoir reconnu toutes les vérités nécessaires pour les détruire.
>
> Enfin, dans tous les pays, dans tous les temps, il est des préjugés différents, suivant le degré d'instruction des diverses classes d'hommes, comme suivant leurs professions. Si ceux des philosophes nuisent aux nouveaux progrès de la vérité, ceux des classes moins éclairées retardent la propagation de vérités déjà connues ; ceux de certaines professions accréditées ou puissantes y opposent des obstacles : ce sont trois genres d'ennemis que la raison est obligée de combattre sans cesse, et dont elle ne triomphe souvent qu'après une lutte longue et pénible.

La lutte pourra être acharnée, longue et pénible, mais il ne doute pas que la Raison ne triomphe au bout du compte. Toutefois, ce que l'on apprend en chemin c'est que l'obscurantisme, la barbarie, le repli sur soi, les préjugés ont une histoire ; autrement dit : ils obéissent à des processus qui influent sur la marche globale de l'histoire, rendant compte des ralentissements, des améliorations et des obscurcissements de certaines périodes.

Mais l'histoire, ici, est-ce le résultat ou au contraire la condition de possibilité du progrès de l'esprit ? Est-ce l'histoire qui permet à l'esprit de progresser, ou est-ce l'esprit et ses progrès qui font avancer l'histoire ? Le piétinement des progrès de la raison, la stérilité de certains épisodes historiques, qui sont au moins à penser comme des épisodes de stagnation si ce n'est de régression, aiguisent en effet le soupçon que le dynamisme historique soit irréductible aux progrès de l'esprit. Car lorsque l'esprit ne progresse pas, l'histoire continue bien de se faire. Alors qui fait l'histoire ?

Raison individuelle ou raison collective ?

On peut continuer ici à considérer que ce sont les hommes qui font l'histoire, mais peut-être sans raison. Il y a plusieurs manières de comprendre ce « sans raison » : d'abord, cela peut vouloir dire que les hommes façonnent l'histoire sans que leur raison individuelle soit particulièrement motrice. En effet, la pensée des hommes est souvent dépassée par les événements, bien que ces mêmes hommes y participent. Kant affirme fermement qu'il lui est impossible de « présupposer dans l'ensemble chez les hommes et dans le jeu de leur conduite le moindre dessein raisonnable *personnel* ». L'histoire est un produit collectif qui dépasse la raison individuelle. Mais cette dynamique collective, qui dépasse les raisons individuelles, ne dépossède-t-elle pas les hommes de leur histoire ? Les hommes sont-ils les sujets, ou les agents, de leur histoire ou l'objet de leur histoire – ses patients ? Les hommes agissent-ils dans l'histoire, la produisant, ou la subissent-ils ?

Une raison dans l'histoire ?

Ce problème de savoir si les hommes subissent l'histoire alors que c'est leur histoire – il faut donc bien trouver un point de contact – renvoie en fait à la question de savoir s'il y a une Raison supérieure, objective, à l'œuvre dans l'histoire. Maintenant la question que nous posons, par rapport au paragraphe précédent, est de savoir si l'histoire que font les hommes est irrationnelle, sans une Raison qui leur serait commune à tous et à laquelle leurs actions se subordonneraient sans qu'ils en aient nécessairement conscience. Hegel, continuant le processus de transformation et de laïcisation de la théologie de l'histoire en téléologie, soutient, dans *La Raison dans l'histoire*, que l'histoire est un produit d'une rationalité absolue : « La Raison est présente dans l'histoire universelle, non la raison subjective, particulière, mais la Raison divine, absolue. » Et Hegel précise que « cette Raison est immanente dans la réalité historique », c'est-à-dire que les hommes contribuent à son développement, quelquefois à leur insu et quelquefois contre les apparences, mais toujours dans l'intérêt de la Raison. C'est ce que le philosophe identifie comme une « ruse de la Raison ».

> Nous disons donc que rien ne s'est fait sans être soutenu par l'intérêt de ceux qui y ont collaboré. Cet intérêt, nous l'appelons passion lorsque, refoulant tous les autres intérêts ou buts, l'individualité toute entière se projette sur un objectif avec toutes les fibres intérieures de son vouloir et concentre dans ce but ses forces et tous ses besoins. En ce sens nous devons dire que *rien de grand ne s'est accompli dans le monde sans passion*. La passion, c'est tout d'abord l'aspect subjectif, formel de l'énergie de la volonté et de l'action. (Le contenu et le but en restent encore *indéterminés* […].)

On fera remarquer ici l'usage spécial que Hegel fait de la passion : cette catégorie lui sert pour mettre en place un schéma dans lequel, si la volonté individuelle a bien un effet causal en histoire, cette individualité est dépassée et considérée comme insignifiante au regard du plan global, élargi de l'histoire, parce qu'elle est aveugle : l'individu, sur le plan historique, agit et est agi par sa passion, qui obéit à une rationalité d'ordre supérieur – la raison d'État, comme nous allons le voir. Le but de son action reste pour lui indéterminé, selon le terme de Hegel que nous avons souligné dans son texte.

> Cette manière de considérer le deuxième moment essentiel de la réalisation historique d'une fin en général nous autorise à formuler, en passant, une remarque sur l'État : un État est bien ordonné et fort en lui-même quand l'intérêt privé des citoyens est uni à la fin générale de l'État, quand l'intérêt privé et la fin de l'État trouvent l'un dans l'autre leur satisfaction et leur réalisation. […] Mais cette unification ne peut devenir réelle que si l'État arrive – ce qui présuppose de longues luttes intellectuelles – à prendre conscience de la fin générale et à se donner une multitude d'institutions conformes à cette fin. En outre, il lui faut lutter contre les intérêts particuliers et les

passions et les soumettre à un dressage aussi long que difficile [...]. Cette masse immense de désirs, d'intérêts et d'activités constitue les *instruments* et les moyens dont se sert l'Esprit du monde [*Weltgeist*] pour parvenir à sa fin, l'élever à la conscience et la réaliser. [...] C'est leur bien propre que peuples et individus cherchent et obtiennent dans leur agissante vitalité, mais en même temps ils sont les moyens et les instruments d'une chose plus élevée, plus vaste qu'ils ignorent et accomplissent inconsciemment.

La question que l'on posera ici est de savoir pourquoi individus et peuples ignorent cette « chose plus élevée », cette marche d'une Rationalité supérieure. Est-ce une ignorance due aux limites qualitatives des esprits individuels ? Ou est-elle due aux limites quantitatives des esprits humains individuels qui ne peuvent embrasser la totalité du point de vue sur le monde ? Situés dans le monde, et dans le temps, les hommes ont certainement un point de vue local qui est difficile à élever, qui souvent a du mal à prendre de la hauteur. Ce point est essentiel, il éclaire la nature de la dépendance de l'homme à cette rationalité supérieure : cette dépendance peut ne pas empêcher l'autonomie individuelle dans le cas où les individus peuvent faire progresser leur point de vue sur la totalité ; ou, au contraire, cette dépendance sera fatale à l'autonomie des individus en raison de leur nécessité à être gouvernés et de l'exigence qu'ils adhèrent organiquement à leur gouvernement (expérience des gouvernements fascistes et nazis). Ainsi le thème hégélien de « synthèse entre l'universel et le particulier », qui est le véritable moteur rationnel, ou logique, de l'histoire, n'est-il pas sans ambiguïtés. Mais Hegel prend un exemple :

C'est César en danger de perdre la position à laquelle il s'était élevé – position qui si elle ne lui assurait pas encore la prédominance, le plaçait du moins au rang de ceux qui se trouvaient à la tête de l'État – et de succomber sous les coups de ses ennemis, lesquels pouvaient appuyer leurs desseins personnels sur la forme de la constitution et la force des apparences juridiques. César les a combattus poussé par le seul intérêt d'assurer sa position, son honneur, sa sécurité et les a vaincus. Or dans la mesure où ses ennemis étaient les maîtres des provinces de l'Empire romain, sa victoire sur eux fut en même temps une conquête de la totalité de l'Empire : il devint ainsi, sans toucher à la forme de la constitution, le maître individuel de l'État.

Or le pouvoir unique à Rome que lui conféra l'accomplissement de son but, de prime abord négatif, était en même temps en soi une détermination nécessaire dans l'histoire de Rome et dans l'histoire du monde : ce qui le guidait dans son œuvre n'était pas seulement son profit particulier, mais aussi un instinct qui a accompli ce que le temps réclamait.

César fournit à Hegel l'exemple d'un grand homme qui accomplit des desseins supérieurs à son propre intérêt tout en le poursuivant. Le grand homme est une occasion pour l'esprit du monde de s'accomplir. Mais qu'est-ce qui rend « grande », et par conséquent historique, dans le sens hégélien, l'action de César ? Aux yeux du philosophe, la grandeur ou l'importance de cette « œuvre » consiste dans l'unification de l'Empire romain. Or l'unité a toujours joui d'un privilège aux yeux de la raison occidentale. Ce qui explique la raison pour laquelle ces faits – en tant qu'ils font signe vers l'idée d'unité – sont considérés ici comme rationnels.

Ces catégories de synthèse, d'unité, de conscience, qui donnent du contenu à l'idée que la Raison est à l'œuvre dans l'histoire et qui constituent l'enjeu de la dialectique hégélienne, ressortissent à une perspective idéaliste : l'idée est l'essence, et l'essentiel, du concret. Par conséquent, il faut suivre les développements de l'idée (dans son esprit) pour comprendre les développements du concret. Les hommes contribuent à l'histoire, mais ils en sont les sujets quand leur action coïncide avec une rationalité supérieure qui s'incarne notamment dans la réalisation de l'État.

Les hommes font l'histoire d'une manière par conséquent déterminée, même s'ils n'en ont pas conscience. Cette détermination pose le problème de savoir si l'on peut réellement concevoir le moteur de l'histoire sous la catégorie de sujet, puisque la subjectivité est toujours bornée par des processus objectifs de grande échelle. La question n'est donc pas tant de savoir qui fait l'histoire que de savoir ce qui détermine les processus historiques.

Le déterminisme et le problème de la causalité dans l'histoire

Le matérialisme dialectique

L'enchaînement déterminé des événements historiques peut-il correspondre au processus de développement d'une idée ? La réponse affirmative à cette question, de type hégélien, est problématique car une chose est une idée, une autre est l'événement concret. Ce sont deux manières d'être différentes. C'est ce genre d'objection que fait valoir la critique de Marx à l'encontre de la dialectique hégélienne. Cette critique promeut une autre vision de la dialectique et de l'histoire, donnant lieu à la théorie du matérialisme dialectique, telle qu'elle est formulée dans le passage suivant du *Capital* (dans *Philosophie*, Folio essais n° 244) :

> Ma méthode dialectique, non seulement diffère par la base de la méthode hégélienne, mais elle en est même l'exact opposé. Pour Hegel, le mouvement de la pensée, qu'il personnifie sous le nom d'idée, est le démiurge de la réalité, laquelle n'est qu'une forme phénoménale de l'idée. Pour moi, au contraire, le mouvement de la pensée n'est que la réflexion du mouvement réel, transporté et transposé dans le cerveau de l'homme.

Il s'agit bien ici d'une position matérialiste, puisque les idées sont secondes par rapport au réel donné, et qu'elles en dérivent, et que le réel lui-même se donne selon des conditions déterminées qui ne sont pas extérieures à lui. La « matière » de ce matérialisme correspond à la réalité dans la mesure où celle-ci est un produit déterminé par les circonstances historiques. Le matérialisme dialectique est un déterminisme* historique, comme on peut le déduire de ce passage de *L'Idéologie allemande* :

> [L]e monde sensible n'est pas un objet donné directement de toute éternité et sans cesse semblable à lui-même, mais le produit de l'industrie et de l'état de la société, et cela en ce sens qu'il est un produit historique, le résultat de l'activité de toute une série de générations, dont chacune se hissait sur les épaules de la précédente, perfectionnait son industrie et son commerce et modifiait son régime social en fonction de la transformation de ses besoins.

Les hommes, selon ce point de vue, sont des produits de l'histoire, et ce sont les forces contraignantes et dynamiques (économiques) de la société qui font l'histoire, selon des processus massifs ou globaux qui entraînent ou contraignent les individus. L'histoire prend donc cet aspect d'extériorité pour les hommes parce qu'ils subissent le poids du passé. C'est cette idée qui commence *Le 18 Brumaire de Louis-Napoléon Bonaparte* (Folio histoire n° 108) :

> Les hommes font leur propre histoire, mais ils ne la font pas arbitrairement, dans les conditions choisies par eux, mais dans des conditions directement données et héritées du passé. La tradition de toutes les générations mortes pèse d'un poids très lourd sur les cerveaux des vivants. Et même quand ils semblent occupés à se transformer, eux et les choses, à créer quelque chose de tout à fait nouveau, c'est précisément à ces époques de crise révolutionnaire qu'ils évoquent craintivement les esprits du passé [...].

Autrement dit : le déterminisme est un concept qui prend en compte et le poids du passé et le poids des structures globales. Les hommes font l'histoire, mais cette histoire n'est pas la leur. Elle ne peut le devenir que si les hommes s'affranchissent, collectivement, du poids du passé et du poids des déterminismes économiques. D'où la thématique révolutionnaire développée par la théorie marxiste, justement comprise comme table rase : une table rase du passé. Sans annulation du passé, il ne s'agit que d'un simulacre de révolution. Le ton sardonique et railleur de Marx dans *Le 18 Brumaire* exprime une réaction affective par rapport aux soubresauts révolutionnaires de la première moitié du XIXe siècle, qui lui apparaissent comme autant de mascarades dérisoires.

La puissance individuelle

Les hommes sont à la fois actifs et passifs dans l'histoire. Mais s'agit-il chaque fois des mêmes hommes ? Si d'un côté le privilège accordé à l'idée de grand homme ou d'homme providentiel pour penser le moteur de l'histoire peut à bon droit être remis en question, d'un autre côté, on peut se demander si la réduction du dynamisme historique au déterminisme* de processus globaux et massifs est satisfaisante pour penser toutes les catégories de l'action historique. En effet, si tout s'explique par des enchaînements déterminés à grande échelle, on ne sait plus rendre compte de l'action individuelle en tant que telle. C'est ici le point de vue du singulier et de l'individu qui n'est pas pris en compte. Au modèle hégélien du grand homme qui réussit la synthèse entre l'universel et le particulier, on peut par exemple opposer le modèle de l'homme vertueux. « Vertueux » ici vient du mot « vertu » au sens où Machiavel l'entend. Les circonstances de l'histoire, selon le point de vue de Machiavel, peuvent fournir l'occasion à la vertu individuelle de se forger et de se manifester. La vertu s'entend donc ici comme puissance d'agir irréductiblement individuelle et autonome, qui est dépendante d'une occasion pour se manifester. Et cette vertu se manifeste quand l'individu saisit effectivement et met à profit l'occasion. La vertu de certains hommes force l'idée que l'histoire, dans ses manifestations les plus imprévues, les plus hasardeuses, peut être le champ d'action des individus en tant que tels. Cette idée restaure l'histoire dans son statut de champ d'expérience humaine où l'action individuelle est possible et ne renvoie pas seulement à une causalité globale et collective. Si l'idée déterministe de processus nécessairement globaux et collectifs sature l'horizon de l'histoire, cette idée de vertu individuelle propose *a contrario* de considérer qu'il y a comme des fentes ou des interstices dans l'histoire, des zones d'indétermination pour l'individu qui lui permettent de prendre l'initiative.

L'illusion rétrospective

En quel sens parler alors de causalité historique ? Par exemple, qu'est-ce que cela veut dire que 1789 est la cause de 1793 ? Dans le même ordre d'idée, est-ce que 1848 a causé le coup d'État du 2 décembre 1851 ? Ce problème de l'interprétation de la succession des faits selon un principe de causalité global concerne donc le découpage des événements en blocs massifs (par exemple « 1789 »). C'est le problème qu'a soulevé François Furet dans son travail. Or Mona Ozouf, dans la Préface du recueil récemment édité des principaux textes de François Furet sur la Révolution française (*La Révolution française*, « Quarto »), explique cela en pointant justement la conception de la causalité qui pose ici problème et qui peut entraver la démarche de l'historien :

Il s'agissait donc de laver les esprits de l'évidence trompeuse et ce réquisit de déprise affective en appelait immédiatement un autre : celui de la méfiance à l'égard de la causalité schématique, toujours suspecte de figurer l'illusion rétrospective du vrai ; péché originel de l'historien, juché sur l'observatoire du présent, porté à croire que si les événements surviennent, c'est qu'ils le devaient, enclin à voir partout fleurir les signes annonciateurs. Tentation plus vive encore lorsqu'il s'agit d'un événement fracassant, qu'il est rassurant de lire comme le seul couronnement possible de l'histoire. Bien avant *Penser la Révolution française*, en dirigeant à l'École des hautes études en sciences sociales une enquête sur le livre dans la société du XVIIIe siècle, François Furet avait manifesté son recul devant la propension à décrire ce siècle comme impérieusement aspiré par l'événement qui le clôt. Convaincu qu'une causalité sommaire est insuffisante à rendre compte du coup de théâtre de 1789, il s'était déjà prémuni contre la contracture mécanique de l'explication monocausale, et s'était fait attentif aux multiples réseaux d'analyse.

Il s'agit donc non pas de nier que les événements ou les faits sont déterminés par des causes, mais de remettre en question une certaine conception de cette détermination comme étant mécanique, univoque et homogène. Car la production des faits en histoire semble diverse et hétérogène selon les cas, car singulière (à proprement parler, un événement ne se produit qu'une fois).

Cette crise de la causalité mécanique introduit-elle le hasard comme possible moteur du dynamisme historique ?

Le hasard et la nécessité

Une part irréductible d'indétermination

Les concepts d'accidentel et de fortuit sont-ils des concepts *ad hoc* pour penser l'histoire ? Si ces concepts expriment la situation du point de vue individuel sur l'histoire, qui ne peut être global et complet, alors ils ont certainement une pertinence en redonnant à l'histoire sa dimension problématique pour tout regard situé dans le temps et l'espace. En effet, si les hommes agissent et, en agissant, font l'histoire, maîtrisent-ils pour autant leurs actions et les effets de leurs actions ? Et peut-on *a posteriori* savoir cela ? C'est sur ce plan d'indétermination irréductible pour les acteurs de l'histoire que l'utilité de ces catégories se fait sentir, car elles peuvent constituer un frein à toute dérive dogmatique et théorique.

Augustin Cournot, avec ses *Considérations sur la marche des idées et des événements dans les temps modernes* (1872), fournit une contribution importante à cette question. Il propose une théorie du hasard qui ne contredit pas à la loi de la causalité – rien ne se produit sans cause –, mais qui prend en compte l'ignorance pour une part irréductible de la multiplicité des réseaux causaux qui produisent l'événement historique. Car cette multiplicité déborde souvent les possibilités d'appréhension et de connaissance des hommes impliqués dans l'histoire.

> Sans la distinction du nécessaire et du fortuit, de l'essentiel et de l'accidentel, on n'aurait même pas *l'idée* de l'histoire. Représentons-nous un registre comme ceux que tenaient les prêtres de la haute Antiquité ou les moines des temps barbares, où l'on inscrivait à leurs dates tous les faits réputés merveilleux ou singuliers, les prodiges, les naissances de monstres, les apparitions de comètes, les chutes de la foudre, les tremblements de terre, les inondations, les épidémies : ce ne sera point là une histoire ; pourquoi ? Parce que les faits successivement rapportés sont indépendants les uns des autres, n'offrent aucune liaison de cause à effet ; en d'autres termes, parce que leur succession est purement fortuite ou le pur résultat du hasard.
>
> Que s'il s'agissait d'un registre d'observation d'éclipses, d'oppositions ou de conjonctions de planètes, de retours de comètes périodiques ou d'autres phénomènes astronomiques du même genre, soumis à des lois régulières, on n'aurait pas non plus d'histoire, mais par une raison inverse : à savoir parce que le hasard n'entre pour rien dans la disposition de la série, et parce qu'en vertu des lois qui régissent cet ordre de phénomènes, chaque phase détermine complètement toutes celles qui doivent suivre.
>
> À un jeu de pur hasard, comme le *trente-et-quarante*[1], l'accumulation des coups dont chacun est indépendant de ceux qui précèdent et reste sans influence sur ceux qui le suivent, peut bien donner lieu à une statistique, non à une histoire. Au contraire, dans une partie de trictrac ou d'échecs où les coups s'enchaînent, où chaque coup a

---

1. Jeu de cartes où le joueur perd ou gagne à chaque donne sans que cela influence la donne suivante.

une influence sur les coups suivants, selon leur degré d[...]
sans pourtant les déterminer absolument, soit à cau[...]
continue d'intervenir aux coups subséquents, soit à cause de l[...]
laissée à la libre décision de chaque joueur, on trouve, à la futilité
près des intérêts ou des amours propres mis en jeu, toutes les conditions d'une véritable histoire, ayant ses instants critiques, ses péripéties et son dénouement.

L'exemple du jeu d'échecs est paradigmatique* parce qu'il permet de
mettre en perspective le caractère dynamique de l'enchaînement des
coups déterminants et le fait que la loi de cet enchaînement échappe
à la fois à un pur déterminisme* et à un pur hasard. Il échappe à un
pur déterminisme dans le sens où le déterminisme qui est à l'œuvre
est complexe (il n'est pas « monocausal »), impliquant plusieurs causes.
Il échappe parallèlement à un pur hasard parce que les coups s'enchaînent de façon nécessaire, en fonction des données et des causes.
Autrement dit, le hasard dont il est question en histoire n'est pas l'autre
de la nécessité, il est son envers ignoré.

La part des passions

Si l'on doit faire droit à l'idée de hasard en histoire, c'est pour restituer
à l'histoire sa singularité par rapport à certains domaines de la nature.
Mais, en s'appuyant sur l'exemple du jeu d'échecs qui met en avant
l'idée de stratégie de chaque joueur, cette singularité ressortit à la singularité de la nature humaine, plus précisément au fait qu'elle se définit
à la fois par la raison et par les passions. En effet, le concept de hasard
peut intervenir ici parce que les actions des hommes, en tant qu'elles
sont déterminées par des passions, échappent le plus souvent à la possibilité d'une prévision. Non pas que ces passions soient « libres », elles
sont bien déterminées de façon nécessaire, mais par une multiplicité
de facteurs qui échappent souvent à la sagacité de l'observateur et de
l'analyste.

Ainsi, les hommes font l'histoire, mais souvent dépossédés de leurs
propres actions, en tant qu'ils sont sujets de passions que la plupart du
temps ils ne maîtrisent pas.

Perspective 4

Leçons de l'histoire

Ni pur hasard ni pure nécessité, l'histoire en train de se faire résiste à la prévision. C'est une fois faite que les faisceaux de ses déterminations peuvent apparaître à celui qui cherche à les démêler. Les enchaînements paraissent en effet déterminés mais d'une manière complexe, comme les épisodes successifs de la vie d'un homme, qui s'enchaînent nécessairement, mais qui dans le temps où ils se produisent ne se laissent pas réduire à ce qui a été prévu. S'il ne s'agit pas de pur hasard ici, c'est avant tout parce qu'il y a de l'enchaînement, du lien dynamique entre les différentes situations historiques. Il y a bien un rapport causal entre les événements successifs de l'histoire, entre par exemple la réforme du régime soviétique initiée par Mikhaïl Gorbatchev dès 1986 (connue sous les noms de *Perestroïka*, « restructuration », et de *Glastnost*, « transparence ») et la chute du mur de Berlin le 9 novembre 1989, suivie de la réunification de l'Allemagne. Mais ces situations s'imposent d'abord dans leur radicale nouveauté, ce qui provoque toujours la surprise, crée « l'événement ». Autrement dit, l'engendrement des situations historiques devrait plutôt se décrire comme des émergences : ces situations en effet émergent avec quelque chose de soudain et surtout d'imprévu, parce qu'elles proviennent à la fois des causes connues et des causes ignorées, méconnues ou mal évaluées.

Un champ d'incertitude

L'inédit dans l'histoire

De sorte que l'histoire, qui prend toujours au dépourvu les contemporains, peut être décrite au présent comme un champ ouvert à l'horizon, un champ d'incertitude. Incertitude pour le point de vue de l'individu situé dans l'histoire et qui s'interroge sur l'avenir. Simone Weil, dans *L'Enracinement* (Folio essais n° 141), un texte datant de la fin de l'année 1942, en fournit un exemple concret, et apporte des arguments pour tirer cette leçon de l'histoire, laquelle consiste justement à prendre conscience du caractère inédit de certaines situations et de l'inutilité de l'histoire dans ces situations. Ici, c'est le sens dominant du présent et l'inquiétude de l'avenir qui rendent le passé irrémédiablement révolu et mort. Le problème que pose Simone Weil fait écho à la situation historique de la France à cette époque, ayant perdu sa souveraineté populaire et toute légitimité politique à l'intérieur du pays depuis l'instauration du régime de Vichy. La question est de savoir ce qui pourra redonner une « âme » ou un esprit à un pays ayant perdu à ce point son identité. Ce que Simone Weil nomme l'« inspiration », c'est un souffle vital qui doit animer toute une collectivité en tant que telle et non pas seulement quelques-uns. Voici le début de la troisième partie :

> Le problème d'une méthode pour insuffler une inspiration à un peuple est tout neuf. Platon y fait des allusions dans le *Politique* et ailleurs ; sans doute il y avait des enseignements à ce sujet dans le savoir secret de l'Antiquité pré-romaine, qui a entièrement disparu. [...]
>
> De nos jours, on a étudié et pénétré le problème de la propagande. Hitler notamment a apporté sur ce point une contribution durable au patrimoine de la pensée humaine. Mais c'est un problème tout autre. La propagande ne vise pas à susciter une inspiration ; elle ferme, elle condamne tous les orifices par où une inspiration pourrait passer ; elle gonfle l'âme toute entière avec du fanatisme. Ses procédés ne peuvent convenir pour l'objet contraire. Il ne s'agit pas non plus d'adopter des procédés opposés ; la relation de causalité n'est pas si simple. [...]
>
> Il est fâcheux pour nous que ce problème, sur lequel, sauf erreur, il n'y a rien qui puisse nous guider, soit précisément le problème que

nous avons aujourd'hui à résoudre de toute urgence sous peine non pas tant de disparaître que de n'avoir jamais existé.

De plus, si Platon par exemple en avait formulé une solution générale, il ne nous suffirait pas de l'étudier pour nous tirer d'affaire ; car nous sommes devant une situation à l'égard de laquelle l'histoire nous est d'un faible secours. Elle ne nous parle d'aucun pays qui ait été dans une situation ressemblant même de loin à celle où la France sera susceptible de se trouver en cas de défaite allemande. D'ailleurs nous ignorons même ce que sera cette situation. Nous savons seulement qu'elle sera sans précédent.

Nous savons, nous, ce qui s'est passé, mais nous n'y étions pas pour la plupart : le moment de la Libération nous semble-t-il, à nous aujourd'hui, une situation sans précédent ? Ou le fait du passage du temps et de la production historique en continu depuis a-t-il un effet de « lissage » de l'événement, le faisant entrer dans une suite à sa place entre ceux qui ont précédé et ceux qui ont suivi ? Le texte de Simone Weil vaut autant pour son analyse que pour sa qualité de témoignage d'un individu disant son incertitude radicale face au futur historique.

Les aléas de la fortune

Le hasard pourra alors ici reprendre le nom de fortune comme l'aspect que prend l'expérience lorsqu'il s'agit d'une vie humaine ou de la vie des cités au long cours. Or la première caractéristique de l'expérience humaine, c'est la variabilité des époques et de leur qualité. En effet, les épisodes d'adversité succèdent aux épisodes de prospérité, en créant chaque fois la surprise, en prenant chaque fois au dépourvu surtout les principaux intéressés, les acteurs. Ce motif de la fortune permet ici de tirer une première leçon de l'histoire : elle nous enseigne l'instabilité des choses humaines et la façon dont, la plupart du temps, les hommes sont démunis devant cette instabilité, qui rend confus leur point de vue et accroît leur crédulité et leur tendance à la superstition. C'est une analyse que Spinoza a menée en son temps, en partie en raison des enjeux politiques de la situation en Hollande à l'époque, et pour défendre la liberté d'opinion. Il s'agit du *Traité théologico-politique* (paru en 1670), où il commence par rendre manifestes les causes de la superstition des hommes, qui peuvent toujours être instrumentalisés à cause de leurs croyances. Or l'abandon à la superstition se produit à l'occasion de revers de fortune, c'est-à-dire que la superstition peut être considérée à bon droit, avec les préjugés, comme un des moteurs de l'histoire.

Si l'histoire nous pousse à nous interroger, c'est qu'elle recèle de nombreux épisodes qui témoignent de l'impuissance humaine, c'est-à-dire le fait fréquent, pour les hommes, de voir advenir ce qu'ils n'ont pas voulu. Cet aspect accentue l'impression de hasard dans sa dimension impersonnelle, indépendante des hommes – on retrouve la représentation antique de la fortune en déesse et l'imagerie médiévale de la fortune aux yeux bandés qui fait tourner sa roue en aveugle, écrasant le malheureux et hissant un autre au rang de roi. N'est-ce pas à dire que les affaires des hommes ne sont pas leurs affaires? Les hommes sont-ils victimes de l'histoire?

Le préjugé de la liberté individuelle

Nul n'ignore la dimension hasardeuse de l'histoire et de l'expérience, mais chacun s'ignore lui-même, c'est-à-dire qu'il ne fait pas le lien entre ce fait et sa propre ignorance et son peu d'autonomie. Le fait est que nous peinons à accorder nos desseins à «nos» actions. C'est que les hommes, sans doute, apprécient mal l'efficacité toute relative de leur volonté, et croient agir en fonction d'elle, alors même que d'autres facteurs entrent en jeu. De sorte que la plupart du temps ils ne distinguent pas assez entre la représentation mentale («Je veux ceci»), qui est sans effet sur la réalité, et l'action qui a réellement lieu, se coordonnant à d'autres actions qui ne dépendent pas d'eux. Le résultat de cette illusion d'agir selon sa volonté est que l'homme ne se reconnaît pas dans l'histoire. Cette manière automatique à l'être conscient de se représenter comme seule cause de son action, qui plus est libre, opacifie le rapport à l'histoire qui ne s'engendre pas sur le modèle de la façon d'agir d'un être conscient. Ce préjugé de la liberté individuelle introduit une distance qui s'ajoute à l'éloignement temporel progressif qui constitue l'histoire. Cette leçon de l'histoire se précise : les événements historiques ne dépendent pas de nous au même sens où nos actions individuelles semblent dépendre en partie de nous. D'où, souvent, ce sentiment mixte d'être témoins ou spectateurs de l'histoire tout en en étant partie prenante.

Quelle attitude face à l'imprévisible ?

Les diverses interrogations sur l'histoire marquent notre incapacité à prévoir les événements singuliers – et c'est ce qui constitue sans doute leur singularité. Cette incapacité fait qu'on peut considérer ces événements comme hasardeux et absurdes – c'est une tendance de la sensibilité contemporaine. Peut alors surgir la tentation de la plainte, et s'imposer celle de voir dans la succession d'événements qui ne font pas sens pour nous une ironie du sort incompréhensible. Des faits qui creusent une question cruciale (celle d'un sens supérieur) sans apporter de réponse, ce qui incite soit au cynisme, soit à la révolte, soit à la lamentation résignée ou vindicative. La façon de sortir de cet état d'ignorance et d'incertitude, c'est, autant qu'on le peut, la mise à distance du jugement affectif. Spinoza rejette dos à dos les figures antiques de l'homme qui rit (Démocrite) et de l'homme qui pleure (Héraclite) face aux événements. Car les événements ne l'incitent ni au dégoût, ni à la lamentation, ni à la raillerie. Ainsi, au début du *Traité politique*, il précise : « J'ai mis tous mes soins à ne pas railler, ne pas déplorer ni maudire, mais comprendre » (I, 4).

Et l'on pourra se persuader que le pessimisme n'a pas plus de titre à régner en maître sur les esprits que l'optimisme, puisque le malheur n'est pas plus sûr que le bonheur. Il s'agit là d'un savoir empirique, étayé de la répétition de l'expérience : personne n'a une vie en ligne droite, chacun connaît ces alternances et ces retours, souvent plusieurs fois.

Cette incertitude, qui fait de la prudence une attitude rationnelle, invite enfin à souligner, s'il le fallait davantage, le caractère illusoire et problématique du désir d'attribuer un sens à l'histoire, c'est-à-dire une signification théorique globale et finale à sa marche en avant. Dans cette perspective, le maintien des concepts du contingent* et du possible permet de penser une absence de sens. Dans la quatrième partie de l'*Éthique* (1661-1677), intitulée « La Servitude humaine », Spinoza définit le premier comme suit : « Les choses singulières, je les appelle contingentes, en tant qu'à l'examen de leur seule essence, nous ne trouvons rien qui pose nécessairement leur existence, ou bien qui l'exclut nécessairement » (définition III), et le second comme suit : « Ces mêmes choses singulières, je les appelle possibles, en tant qu'à l'examen des causes qui doivent les produire nous ne savons pas si ces causes sont elles-mêmes déterminées à les produire ».

L'enjeu du présent

On peut donc tirer des leçons temporelles de l'histoire en prenant la mesure de la détermination du présent par le passé et en prenant en compte le caractère incertain de l'avenir pour tout point de vue situé. On tire aussi des leçons de l'histoire en tant qu'elle s'écrit et s'interprète. Ainsi le désir de comprendre le sens de l'histoire apparaît-il comme un enjeu problématique du présent, de l'actualité de celui qui pense l'histoire. Car le sens s'impose rétrospectivement, et en tant qu'il se présente comme « objectif », comme une propriété intrinsèque des événements historiques révolus, alors il peut être considéré soit comme une illusion, soit comme une interprétation qui doit être distinguée des faits. La direction est donnée par le sens temporel, par le cours irréversible de l'avant et de l'après, mais conférer un sens théorique à ce « cours » peut apparaître comme un point de vue anthropomorphique sur le temps et l'histoire, comme un finalisme du temps, aussi illusoire que l'interprétation finaliste de la Nature, telle qu'on la trouve dénoncée par Spinoza dans l'Appendice de la première partie de l'*Éthique* – ce finalisme est synthétisé par la formule suivante : « La nature ne fait rien en vain (c'est-à-dire qui ne soit à l'usage des hommes). »

Les instrumentalisations de l'histoire

Fabriquer des mythes

Or dans la mesure où celui qui pense l'histoire ignore qu'il fait un certain usage de l'histoire, qu'il s'en sert pour penser un sens nécessairement *a posteriori*, alors cet usage peut conduire à une instrumentalisation de l'histoire. L'histoire théorisée, en effet, peut être instrumentalisée. Elle peut l'être de deux manières. D'abord, elle peut servir à nourrir des mythes nationaux, qui se construisent toujours sur un fantasme de l'origine qui a pour fonction de fabriquer le « ciment » social et l'unité nationale. Michel de Certeau, dans *L'Écriture de l'histoire*, est très clair sur ce point, faisant de l'histoire un des moyens principaux de mytho-logisation moderne :

> L'histoire a pris le relais des mythes « primitifs » ou des théologies anciennes depuis que la civilisation occidentale a cessé d'être reli-gieuse et que, sur le mode politique, social ou scientifique, elle se définit par une praxis qui engage également ses rapports avec elle-même et avec d'autres sociétés. Le récit de cette relation d'exclu-sion et de fascination, de domination ou de communication avec l'*autre* (poste rempli tour à tour par un voisinage ou un futur) per-met à notre société de se raconter elle-même grâce à l'histoire. Il fonctionne comme le faisaient, ou le font encore en des civilisations étrangères, les récits de lutte cosmologiques confrontant un présent à une origine.
>
> Cette localisation du mythe n'apparaît pas seulement avec le mou-vement qui ramène les sciences, exactes ou « humaines », vers leur histoire (qui permet aux scientifiques de se situer dans un ensemble social), ou avec l'importance de la vulgarisation historique (qui rend pensable le rapport d'un ordre avec son changement, ou qui l'exor-cise sur l'air : « Il en a toujours été ainsi »), ou encore avec les mille résurgences de la géniale identification, nouée par Michelet, entre l'histoire et l'autobiographie d'une nation, d'un peuple ou d'un parti. [...] Le discours sur le passé a pour statut d'être le discours du mort. L'objet qui y circule n'est que l'absent, alors que son sens est d'être un langage entre un narrateur et ses lecteurs, c'est-à-dire entre des présents. La chose communiquée opère la communication d'un groupe avec lui-même par ce *renvoi au tiers absent* qu'est son passé. [...] Mais l'absent est aussi la forme présente de l'origine. Il y a un mythe parce qu'à travers l'histoire, *le langage est confronté à son origine*. [...] Ce discours a pour définition d'être, comme *dire*, articulé sur ce qui s'est *passé* d'*autre* ; il a en propre un commencement qui suppose un objet *perdu* ; il a pour fonction d'être, entre des hommes, la repré-sentation d'une scène primitive effacée mais encore organisatrice.

Ce mythe de l'origine a donc une fonction : l'organisation signifiante du présent et, de façon plus concrète, la justification de l'ordre sociocul-turel du présent, ou du moins de ses tendances lourdes héritées du passé. Mais notons que l'horizon de mythologisation de l'histoire, explicitée ici dans son rapport au fantasme du passé en fonction des besoins du pré-sent, reste en deçà de l'idéologie et de la propagande qui est son outil.

Le risque idéologique

Car l'idéologie est une autre instrumentalisation de l'histoire qui n'est pas l'effet naturel du travail de mémoire que la société tente laborieusement de mettre en œuvre. Cette instrumentalisation obéit à des intérêts plus précis, d'ordre politique, en vue d'exercer une domination et de détenir du pouvoir.

Le concept d'histoire moderne – celui que les historiens ont contribué à forger – présente en lui-même un risque idéologique, en tant qu'il comporte un biais souvent ignoré. Il l'est d'autant plus qu'il peut provenir de ce qui est censé garantir l'objectivité du travail des historiens. Il s'agit de la nature et de l'analyse des documents dans le travail de restitution historique. L'importance accordée au document peut paradoxalement préparer le terrain de l'idéologie. L'analyse que mène Simone Weil dans *L'Enracinement* permet de mettre en valeur cet enseignement de l'expérience, selon lequel la référence à l'histoire comme caution d'un point de vue objectif, neutre, sans biais, peut toujours se révéler trompeuse :

> Avant juin 1940, on pouvait lire dans la presse française, à titre d'encouragement patriotique, des articles comparant le conflit franco-allemand à la guerre de Troie ; on y expliquait que cette guerre était déjà une lutte de la civilisation contre la barbarie, les barbares étant les Troyens. Or il n'y a pas à cette erreur une ombre de motif sinon la défaite de Troie.
>
> Si l'on ne peut s'empêcher de tomber dans cette erreur au sujet des Grecs, qui ont été hantés par le remords du crime commis et ont témoigné eux-mêmes en faveur de leurs victimes, combien davantage au sujet des autres nations, dont la pratique invariable est de calomnier ceux qu'elles ont tués ?
>
> L'histoire est fondée sur les documents. Un historien s'interdit par profession les hypothèses qui ne reposent sur rien. En apparence c'est très raisonnable ; mais en réalité, il s'en faut de beaucoup. Car, comme il y a des trous dans les documents, l'équilibre de la pensée exige que des hypothèses sans fondement soient présentes à l'esprit, à condition que ce soit à ce titre et qu'autour de chaque point il y en ait plusieurs.
>
> À plus forte raison faut-il dans les documents lire entre les lignes, se transporter tout entier, avec un oubli total de soi, dans les événements évoqués, attarder très longtemps l'attention sur les petites choses significatives et en discerner toute la signification.

Mais le respect du document et l'esprit professionnel de l'historien ne disposent pas la pensée à ce genre d'exercice. L'esprit dit historique ne perce pas le papier pour trouver de la chair et du sang; il consiste en une subordination de la pensée au document.

Or par la nature des choses, les documents émanent des puissants, des vainqueurs. Ainsi l'histoire n'est pas autre chose qu'une compilation des dépositions faites par les assassins relativement à leurs victimes et à eux-mêmes.

Cette façon de mettre au cœur du problème de l'objectivité en histoire non pas tant le point de vue biaisé de l'historien, mais le fait du pouvoir, et de la domination d'un certain point de vue, celui des « vainqueurs », renvoie bien à une interrogation quant au poids de l'idéologie sur la façon de penser l'histoire, sur l'histoire officielle. Cette question est d'actualité, on peut évoquer notamment le long silence sur la guerre d'Algérie en France. Et, très récemment, la loi sur les « effets positifs » de la colonisation française, du 23 février 2005, qui a provoqué une vive polémique et une protestation de la part d'historiens éminents, fait silence sur le fait de la guerre et de la domination violente des populations indigènes (nommées telles à l'époque de la colonisation) de manière à éveiller la suspicion.

Le risque de la falsification

Ce n'est donc pas que l'historien soit par nature un idéologue. C'est qu'il peut être tributaire d'un certain point de vue dominant, artisan malgré lui d'une mémoire toujours possiblement biaisée ou amnésique. Comme le fait valoir Walter Benjamin : « Devant l'ennemi, s'il vainc, *même les morts* ne seront point en sécurité. » Ce propos a un écho extraordinaire à l'évocation des préparatifs nazis pour effacer les crimes de masse perpétrés pendant des années de terreur et de planification d'assassinats en masse. En plus du biais introduit par la domination d'un point de vue qui se voudrait universel, il y a donc toujours le risque de la falsification. Il peut toujours se présenter des « faussaires de l'histoire » qui font valoir des vues erronées, entrant en contradiction avec des faits que souvent – pour l'histoire occidentale contemporaine tout du moins – on peut rétablir dans une perspective véridique. Comme en témoigne Primo Levi de manière exemplaire dans *Les Naufragés et les Rescapés*, lui-même rescapé de l'entreprise d'extermination nazie, « les ruines sont encore là » et « quelques-uns ont eu cependant la chance et la force de survivre, et sont restés pour témoigner ».

L'usage critique de l'histoire : un enseignement politique

Une « contre-histoire »

Il est donc un type d'usage de l'histoire qui ne conduit pas à l'instrumentalisation de l'histoire, même s'il conduit à une prise de position. Ce type d'usage est critique*, et il tire la leçon de la manipulation toujours possible de la référence à l'histoire. Notons que cet usage vérifie l'idée que la falsification est moins facile quand on adopte un point de vue critique et que l'on observe l'exigence des procédures réglées et contrôlées. Michel Foucault offre l'exemple d'une position avant tout critique concernant les usages de l'histoire, en partant du constat suivant : « L'histoire s'est trouvée être l'objet d'une curieuse sacralisation » (*Dits et écrits*, I, « Sur les façons d'écrire l'histoire », 1967). Une sacralisation, constate Michel Foucault, souvent peu informée. Or, précisément, le point de vue critique qui jette les bases de ce qui se présente comme la tentative foucaldienne d'une « contre-histoire » doit avoir en réserve une énorme masse d'informations. Foucault en cela se réclame de l'héritage nietzschéen, revendiquant une méthode généalogique d'analyse des faits qui bouleverse l'approche continue et linéaire de l'histoire :

> La généalogie est grise ; elle est méticuleuse et patiemment documentaire. Elle travaille sur des parchemins embrouillés, grattés, plusieurs fois réécrits. [...] De là, pour la généalogie, une indispensable retenue : repérer la singularité des événements hors de toute finalité monotone ; les guetter là où on les attend le moins et dans ce qui passe pour n'avoir point d'histoire [...]
>
> La généalogie exige donc la minutie du savoir, un grand nombre de matériaux entassés, de la patience. Ses « monuments cyclopéens » (*Le Gai Savoir*, § 7), elle ne doit pas les bâtir à coups de « grandes erreurs bienfaisantes », mais de « petites vérités sans apparence, établies par

une méthode sévère » (*Humain, trop humain*, § 3). Bref, un certain acharnement dans l'érudition. La généalogie ne s'oppose pas à l'histoire comme la vue altière et profonde du philosophe, au regard de taupe du savant ; elle s'oppose au contraire au déploiement métaphoristique des significations idéales et des indéfinies téléologies. Elle s'oppose à la recherche de l'« origine ».

[...] Point absolument reculé, et antérieur à toute connaissance positive, c'est elle qui rendrait possible un savoir qui pourtant la recouvre, et ne cesse dans son bavardage, de la méconnaître ; elle serait à cette articulation inévitablement perdue où la vérité des choses se noue à une vérité du discours qui l'obscurcit aussitôt et la perd. [...]
On connaît les apostrophes célèbres de Nietzsche contre l'histoire [...]. En fait ce que Nietzsche n'a pas cessé de critiquer depuis la Seconde des *Intempestives*, c'est cette forme d'histoire qui réintroduit (et suppose toujours) le point de vue supra-historique : une histoire qui aurait pour fonction de recueillir, dans une totalité bien refermée sur soi, la diversité enfin réduite du temps ; une histoire qui nous permettrait de nous reconnaître partout et de donner à tous les déplacements passés la forme de la réconciliation ; une histoire qui jetterait sur ce qui est derrière elle un regard de fin du monde. [...] [Le sens historique] ne doit être que cette acuité d'un regard qui distingue, répartit, disperse, laisse jouer les écarts et les marges – une sorte de regard dissociant capable de se dissocier lui-même et d'effacer l'unité de cet être humain qui est supposé le porter souverainement vers son passé (« Nietzsche, la généalogie, l'histoire », 1971, *Dits et écrits*, I).

Une histoire au présent

Le généalogiste critique se présente comme un guetteur qui traque et expulse la surimposition d'un sens, pour proposer une « contre-histoire » qui promeut un rapport différent à la mémoire des faits. Un rapport qui permet de dynamiser l'histoire, de la rendre utilisable au présent.

L'histoire n'aurait pas à être restituée ou déchiffrée, il faudrait plutôt la construire au présent afin de s'en servir. En ce sens, fort de ce sens historique qui se tire d'une familiarisation avec la diversité éclatée de l'histoire (« Le vrai sens historique reconnaît que nous vivons, sans repères ni coordonnées originaires, dans des myriades d'événements perdus »), l'usage critique de l'histoire pousse à écrire une histoire du présent. L'usage critique déplace donc le centre de l'histoire du passé vers le présent. C'est certainement une des leçons les plus importantes de l'histoire, d'apparence paradoxalement banale, que le présent est entièrement traversé de tensions historiques.

Comme l'illustre l'exemple paradigmatique* de Michel Foucault, cette leçon est politique. Elle engage, à rebours d'une conception traditionnelle de la connaissance, à se considérer comme partie prenante et à s'engager dans l'histoire présente.

Bilans

L'individu et l'histoire

L'unité de l'histoire

Penser l'histoire pour orienter la pensée

Y a-t-il un moyen, en fin de compte, de penser l'unité de la diversité et de la variabilité des expériences historiques ? Y a-t-il un moyen d'unifier la diversité des représentations de l'histoire ? La réflexion fournit un moyen, comme Kant l'a fort bien mis en valeur dans son *Idée d'une histoire universelle au point de vue cosmopolitique* (1784). La position de Kant déjoue la rigidité de la position téléologique dogmatique qui suppose un sens donné de l'histoire des hommes, tout en refusant de laisser au désordre apparent des affaires humaines le dernier mot. Il s'agit d'exploiter une faculté de la raison qui est de produire des idées qui peuvent être régulatrices pour la pensée, c'est-à-dire qu'elles orientent la pensée en fixant un horizon, elles permettent de frayer un chemin à la pensée, et de la faire avancer. Kant raisonne ainsi subtilement :

> C'est un projet à vrai dire étrange, et en apparence extravagant, que de vouloir composer une *histoire* d'après l'idée de la marche que le monde devrait suivre, s'il était adapté à des buts raisonnables certains ; il semble qu'avec une telle intention on ne puisse aboutir qu'à un roman. Cependant, si on peut admettre que la nature même, dans le jeu de la liberté humaine, n'agit pas sans plan ni sans dessein final, cette idée pourrait bien devenir utile ; et, bien que nous ayons une vue trop courte pour pénétrer dans le mécanisme secret de son organisation, cette idée pourrait servir de fil conducteur pour

nous représenter ce qui ne serait sans cela qu'un *agrégat* des actions humaines comme formant, du moins en gros, un *système*.

On note les précautions de langage prises par Kant pour éviter d'assigner directement à l'histoire un but l'unifiant. Et on retient que ce qui fournit du lien, ce qui permet d'unifier un divers sensible, c'est la faculté conceptuelle – on retrouve en cela les thèses de la *Critique de la raison pure*. On ne peut unifier l'histoire que dans une réflexion orientée vers un but pratique, qui est de s'orienter stratégiquement par rapport à l'avenir.

L'entraînement temporel

Si c'est par projection que Kant propose de penser l'unité de l'histoire, on est renvoyé à la matière de l'histoire, à savoir le temps, qui passe irréversiblement. Ainsi, plus généralement, il est un autre moyen de penser l'unité de l'histoire. Cette unité pourra être pensée indépendamment de toute téléologie* présupposée réelle ou projetée. C'est le gouffre du passé qui unifie les événements. La mémoire certes y introduit du relief et de la différenciation, mais c'est le poids et l'entraînement temporels qui l'emportent. Walter Benjamin, dans sa IXe thèse sur l'histoire, figure de manière expressionniste l'irrémédiable :

> Il existe un tableau de Klee qui s'intitule *Angelus Novus*. Il représente un ange qui semble sur le point de s'éloigner de quelque chose qu'il fixe du regard. Ses yeux sont écarquillés, sa bouche ouverte, ses ailes déployées. C'est à cela que doit ressembler l'Ange de l'Histoire. Son visage est tourné vers le passé. Là où nous apparaît une chaîne d'événements, il ne voit, lui, qu'une seule et unique catastrophe, qui sans cesse amoncelle ruines sur ruines et les précipite à ses pieds. Il voudrait bien s'attarder, réveiller les morts et rassembler ce qui a été démembré. Mais du paradis souffle une tempête qui s'est prise dans ses ailes, si violemment que l'ange ne peut plus les refermer. Cette tempête le pousse irrésistiblement vers l'avenir auquel il tourne le dos, tandis que le monceau de ruines devant lui s'élève jusqu'au ciel. Cette tempête est ce que nous appelons le progrès («Sur le concept d'histoire», trad. M. de Gandillac, *Œuvres III*).

Les concepts ont eux-mêmes une histoire, comme on le voit ici avec le traitement de la notion de progrès qui est réduite à ce souffle violent, cet entraînement irrépressible et contraignant, qui ne produit comme résultat que des ruines et de la catastrophe. Si l'on peut voir ici un commentaire de l'histoire contemporaine de Benjamin – histoire tragique et catastrophique : ce texte a été rédigé au début de l'année 1940 –, ce regard fixe la vérité du passage du temps, en en étant affecté selon une inspiration mélancolique.

L'histoire et la nature

L'aliénation de l'homme à l'histoire

Si l'histoire est tout, constitue l'horizon ultime de l'homme, alors l'attitude mélancolique peut trouver quelque fondement et continuer de souffrir de l'idée de la vanité des choses de l'existence, condamnées à disparaître sous l'effet combiné de deux facteurs : le temps et le progrès technologique. Cette façon de concevoir l'histoire comme l'ultime réalité humaine est précisément ce qui caractérise, selon Hannah Arendt, le concept moderne d'histoire. Celui-ci, dérivant d'une conception scientifique du monde où chaque fait est construit, exprime une aliénation de l'homme à un horizon exclusivement historique, perdant de vue une perspective plus large, cosmique et naturelle.

> L'époque moderne, avec son aliénation du monde croissant, a conduit à une situation où l'homme, où qu'il aille, ne se rencontre que lui-même. Tous les processus de la terre et de l'univers se sont révélés faits par l'homme, réellement ou potentiellement. Ces processus, après avoir dévoré, pour ainsi dire, l'objectivité solide du monde, ont fini par retirer son sens au processus unique total qui était à l'origine conçu pour leur donner sens, et par agir, d'une certaine manière, comme l'espace-temps éternel dans lequel ils pouvaient tous s'écouler et être ainsi délivrés de leurs conflits mutuels et de leur incompatibilité. C'est ce qui s'est produit pour notre concept d'histoire, comme pour notre concept de nature. Dans cette situation d'aliénation du monde radicale, ni l'histoire ni la nature ne sont plus du tout concevables. Cette double disparition du monde – la disparition de la nature et celle de l'artifice humain au sens le plus large, qui inclurait toute l'histoire – a laissé derrière elle une société d'hommes qui, privés d'un monde commun qui les relieraient et les

sépareraient en même temps, vivent dans une séparation et un iso-
lement sans espoir ou bien sont pressés ensemble en une masse (« Le
concept d'histoire », *La Crise de la culture*).

« L'histoire n'est pas tout »

Cette analyse fait écho à une préoccupation éthico-politique concernant la défense de la liberté individuelle en tant qu'elle est menacée
par le phénomène de massification des sociétés modernes. Ces sociétés
de masse sont toujours menacées d'une dérive totalitaire extrêmement
préjudiciable à l'individu et au lien social. Cette critique et cette mise en
garde s'appuient sur un constat théorique : les modernes, en construi-
sant la modernité scientifique, ont perdu le concept de nature comme
autonome du faire et du penser humain. Autrement dit : la modernité aurait accouché d'un anthropomorphisme scientifique. Or, c'est
de la distinction conceptuelle entre l'artifice humain et les processus
de production de la nature que dépendent la clarté et l'adéquation du
concept d'histoire. En l'absence d'une distinction claire entre la nature
et l'histoire, on perd donc aussi en chemin le concept d'histoire. Ou en
l'absence d'une distinction claire entre la nature et l'histoire, l'histoire,
saturant l'horizon de pensée des hommes, remplace la nature. Les processus historiques sont bien des processus naturels, car, comme argumente Spinoza, l'homme dans la nature n'est pas comme un empire
dans un empire, il y a bien un continuum naturel. Mais voilà, l'homme
et son histoire ne sont pas toute la nature. C'est ce que la pensée d'Albert Camus, instinctive sur ce point, défend fermement : « À mi-dis-
tance du soleil et de la misère. La misère m'empêcha de croire que tout
est bien sous le soleil et dans l'histoire ; le soleil m'apprit que l'histoire
n'est pas tout. »

Pour un usage critique et pratique

Si l'histoire n'est pas tout, l'histoire constitue un réservoir ou un conser-
vatoire pour l'homme, qui peut lui enseigner des exemples, certaines
différentes façons d'agir pour un homme étant données des circonstances précises. Comme l'a écrit Thucydide, l'histoire « accumulée pour

toujours, c'est un trésor». Un trésor commun. En dernière instance, l'histoire constitue fondamentalement un objet pour la connaissance, dont l'enjeu est une utilité pratique. Car la connaissance historique peut inciter à la prudence en tirant l'enseignement de la variabilité et de l'incertitude des situations historiques. Nous pouvons, par la connaissance de l'histoire, quelque peu étendre les limites de notre expérience présente et nous doter de quelques points de comparaison ou de linéaments pour tenter de déchiffrer ses tendances et ses enjeux.

Glossaire

Constructivisme : doctrine philosophique selon laquelle les objets mathématiques et scientifiques doivent être considérés comme des constructions mentales, et non comme des réalités données comme telles dans l'expérience.

Contingent : s'oppose à «nécessaire». Désigne ce qui arrive par hasard, autrement dit ce qui aurait pu ne pas se produire ou se produire autrement.

Critique/Criticisme : termes qui renvoient à la doctrine kantienne qui crée une troisième voie entre le scepticisme et le dogmatisme. La perspective criticiste se caractérise notamment par une remise en cause des prétentions de la Raison à être une source de connaissance indépendante par rapport à tout donné sensible. La philosophie critique ne s'exerce pas seulement sur les productions de la Raison, mais sur la Raison elle-même pour prévenir ses mauvais usages et ses illusions.

Déterminant (jugement) : élément de la terminologie kantienne. Le jugement déterminant se distingue du jugement réfléchissant. «Si l'universel (la règle, le principe, la loi) est donné, alors la faculté de juger qui subsume sous celui-ci le particulier est déterminante» (*Critique de la faculté de juger*, Préface). Par exemple, quand on affirme : «Tous les corps sont pesants», le prédicat «pesant» renvoie à une loi que vérifient tous les corps. Prédiquer la pesanteur aux corps est une manière de les déterminer (caractériser, qualifier) objectivement.

Déterministe : 1. Doctrine philosophique selon laquelle les êtres naturels sont soumis à une nécessité univoque qui détermine tous les aspects de leur existence. Une des conséquences de ce point de vue est de nier que la volonté humaine puisse être libre. 2. Doctrine qui fait valoir non pas tant l'action d'une nécessité globale et unique, mais le fait que tous les événements résultent d'enchaînements de causes. Ce point de vue, qui s'attache à déterminer les causes, a tendance aussi à nier la liberté humaine si on la conçoit comme ne renvoyant à aucune cause.

Doxa : terme grec qui, en philosophie, désigne le domaine de l'opinion individuelle ou commune, qui se distingue du domaine de la connaissance en tant que l'opinion s'affirme et peut être reçue sans argument ni fondement.

Entéléchie : vient du grec *entelekheia*, terme forgé par Aristote pour désigner l'actualisation et l'accomplissement de l'activité potentielle d'une chose. Le terme désigne en particulier l'âme d'un corps existant, en tant qu'Aristote l'a définie comme « l'entéléchie première d'un corps naturel apte à en être l'instrument ». L'âme explique l'activité du corps et, plus généralement, l'entéléchie assigne une raison profonde (spirituelle) à l'activité de la matière.

Eschatologique : du grec *eskhatos,* « dernier », et *logos*, « discours ». L'eschatologie a une dimension théologique, et implique une perspective religieuse, en tant qu'elle s'interroge sur les fins dernières du monde et le sort de l'homme après la mort et la fin du monde. Le thème eschatologique implique l'idée de fin du monde dans le temps.

Essentialiste : vient du terme « essence » et peut désigner une doctrine faisant valoir que les choses particulières sont ce qu'elles sont et se distinguent les unes des autres en fonction de leur essence propre ou singulière. La position essentialiste consiste à considérer les essences comme des réalités distinctes des existences données.

Facticité : à l'origine, il y a le latin *factum,* « fait », et *facere,* « faire ». L'étymologie latine a donné notamment « factice », qui désigne ce qui est fait « artificiellement », à l'imitation de la nature. « Facticité », terme spécifiquement philosophique, ne dérive pas de cette lignée et renvoie plutôt à l'allemand *Faktizität* utilisé par Husserl pour désigner le fait de l'existence ou le caractère d'être existant.

Nécessaire : est nécessaire ce qui renvoie à des séries de causes anté-cédentes et ne peut pas ne pas être, ni être autrement (par opposition à « contingent »).

Paradigme : terme qui vient du grec *paradeigma*, qui signifie « exem-ple », « modèle exemplaire ».

Réfléchissant (jugement) : élément de la terminologie kantienne. Le jugement réfléchissant ne relève pas de la faculté de juger détermi-nante. C'est la capacité de la pensée qui consiste à découvrir une règle universelle sous laquelle ranger le particulier qui, lui, est donné, à la différence de cette règle qui est seulement pensée.

Spéculatif : terme philosophique désignant le caractère d'une réflexion exclusivement théorique, pour la distinguer notamment d'une réflexion ou délibération pratiques.

Téléologique : du grec *telos*, qui signifie « fin », « finalité », « achève-ment », et de *logos*, qui signifie « discours », « raison ». Les doctrines téléologiques articulent donc des théories sur la finalité rationnelle du cours de l'existence en général, et sur son achèvement ou accomplis-sement.

Transcendant : s'oppose à « immanent ». Désigne ce qui est supérieur et extérieur à la réalité sensible donnée. Ce qui est transcendant sur-passe ou dépasse le donné. Selon Kant, cela se situe au-delà de toute expérience possible.

Bibliographie
Œuvres non citées en extraits.

Louis Althusser, *Lire « Le Capital »*, II, Maspero, 1965.
Raymond Aron, *Introduction à la philosophie de l'histoire. Essai sur les limites de l'objectivité historique*, Gallimard, 1986, « Tel », n° 58.
La Philosophie critique de l'histoire, Seuil, 1991, « Points Essais ».
Leçons sur l'histoire, Le Livre de Poche, 1991, « Biblio Essais ».
Saint Augustin, *La Cité de Dieu*, livre XXII, chap. 30, trad. G. Combès, Desclée de Brouwer, 1960.
Fernand Braudel, *Écrits sur l'histoire*, Flammarion, 1969.

Ernst Cassirer, *L'Idée de l'histoire*, Le Cerf, 1988.

François Châtelet, *La Naissance de l'histoire*, Seuil, 1996.

Bernard de Fontenelle, *Œuvres*, t. III, *Sur l'histoire*, Fayard, 1989.

Michel Foucault, *Les Mots et les Choses*, Gallimard, 1966, « Tel », n° 166.

L'Archéologie du savoir, Gallimard, 1975, « Bibliothèque des sciences humaines ».

François Hartog, *Le Miroir d'Hérodote*, Gallimard, 1980, « Folio histoire », n° 101.

L'Histoire d'Homère à Augustin, textes réunis et commentés, éd. grec/français et latin/français, trad. M. Casevitz, Seuil, 1999.

Paul Hazard, *La Crise de la conscience européenne*, Fayard, 1988.

Jean-Gottfried Herder, *Une autre philosophie de l'histoire*, trad. M. Roucher, Aubier, 1964.

Hérodote, *Histoires*, trad. P.-E. Legrand, Les Belles Lettres, 1930-1954, 10 volumes.

Alexandre Koyré, *Études d'histoire de la pensée philosophique*, Gallimard, 1994, « Tel », n° 57.

Claude Lefort, *Les Formes de l'histoire*, Gallimard, 1988, « Folio essais », n° 357.

Jules Michelet, *Histoire de la Révolution française*, Préface de 1847 et Préface de 1868, Gallimard, « Folio histoire », nos 151 et 152.

Histoire de France, Préface de 1869, Robert Laffont, 1971.

Michel Narcy, « Tradition et histoire », *Notions de philosophie,* III, Gallimard, 1995, « Folio essais », n° 279.

Frédéric Nietzsche, *Seconde Considération intempestive*, trad. H. Albert, G-F Flammarion, 1992.

Nicolas Piqué, *L'Histoire*, G-F Flammarion, 1998, « Corpus ».

Paul Ricœur, *Temps et récit*, Seuil, 1983.

La Mémoire, l'Histoire, l'Oubli, Seuil, 2000.

Paul Veyne, *Comment on écrit l'histoire*, Seuil, 1996.

Thucydide, *La Guerre du Péloponnèse*, trad. J. de Romilly, Les Belles Lettres, 1985, 5 volumes.

Index des auteurs

Hannah Arendt, « Le concept d'histoire », *La Crise de la culture*, p. 42-43, 44, 45, 89.

Walter Benjamin, « Sur le concept d'histoire », *Œuvres* I, p. 88.

Bossuet, *Discours sur l'histoire universelle*, p. 21.

Michel de Certeau, *L'Écriture de l'histoire*, p. 37-38, 79.

Condorcet, *Esquisse d'un tableau historique des progrès de l'esprit humain*, p. 58, 59.

Augustin Cournot, *Considérations sur la marche des idées et des événements dans les temps modernes*, p. 25, 68-69.

Lucien Febvre, *Discours inaugural au Collège de France*, p. 48-49.

Michel Foucault, *Il faut défendre la société*, p. 13 ; « Sur les façons d'écrire l'histoire », *Dits et écrits* I, p. 82-83.

François Furet, *Penser la Révolution française*, p. 39-41, 54-55.

G. W. F. Hegel, *La Raison dans l'histoire*, p. 26, 27-28, 61, 62-63.

Edmund Husserl, « La Crise de l'humanité européenne et la philosophie », *La Crise des sciences européennes et la phénoménologie transcendantale*, p. 30-31.

Isocrate, *Panégyrique*, p. 9.

Emmanuel Kant, *Idée d'une histoire universelle d'un point de vue cosmopolitique*, p. 87-88.

Karl Marx, *Le Capital*, p. 64, *Le 18 Brumaire de Louis-Napoléon Bonaparte*, p. 65, *L'Idéologie allemande*, p. 64, *La Sainte Famille*, p. 42.

Karl Marx et Friedrich Engels, *Manifeste communiste*, p. 12.

Montesquieu, *L'Esprit des lois*, p. 11.

Pierre Nora, *Les Lieux de mémoire*, *Entre mémoire et histoire*, p. 108-112.

Mona Ozouf, Préface à *La Révolution française* de François Furet, p. 67.

Oswald Spengler, *Le Déclin de l'Occident*, p. 29-30.

Giambattista Vico, *La Science nouvelle*, p. 22-23.

Voltaire, *Essai sur l'histoire générale et sur les mœurs et l'esprit des nations depuis Charlemagne jusqu'à nos jours*, p. 24, 55-56.

Simone Weil, *L'Enracinement*, p. 74-75, 80-81.

Préparation aux épreuves

par Olivier Decroix

L'épreuve écrite de français-philosophie aux concours scientifiques

« La colombe légère qui, dans son libre vol, fend l'air dont elle sent la résistance, pourrait s'imaginer qu'un espace vide d'air lui réussirait mieux encore. »

Emmanuel Kant, *Critique de la raison pure* (1770-1781)

Votre programme s'établit autour de la notion d'histoire et plus particulièrement, comme vous venez de le lire, autour de « penser l'histoire », mais ce programme est limité par un corpus : *Le 18 Brumaire de Louis-Napoléon Bonaparte* de Karl Marx (traduction Maximilien Rubel, Folio histoire n° 108), *Horace* de Corneille, et les *Mémoires d'outre-tombe*, livres IX à XII, de François-René de Chateaubriand (Folioplus classiques n° 118). Une fois maîtrisé, c'est-à-dire lu et pensé, cet ensemble de textes vous permet d'envisager la problématique au programme sous différents aspects. Considérez donc ces textes certes comme des références obligatoires, mais surtout comme des alliés : la figure imposée est non pas un carcan mais un révélateur. Ne soyez pas comme cette colombe que décrit Kant : ne pensez pas que, sans la contrainte et la résistance des œuvres au programme, vous réussiriez bien mieux… Sans cette résistance de l'air, votre vol ne durerait pas longtemps. De la contrainte naît l'idée.

Vous allez trouver ici des exemples des exercices qui vous attendent tout au long de l'année et lors des concours qui égaieront votre printemps. Avant toute chose, il convient de saisir les enjeux de ces épreuves.

La contraction de texte, le résumé

Règles du jeu, règles d'or

Pour mettre à l'épreuve votre intelligence, votre capacité de comprendre un discours et d'en rendre compte, on vous soumettra à l'exercice de la contraction de texte. Cet exercice est nouveau pour vous si vous entrez en première année. Dites-vous que cet exercice n'est pas si inconnu ! On vous a déjà demandé, lors de votre scolarité, d'analyser un texte argumentatif et de repérer les pivots de sa structure : cette mise à plat permet d'élaborer un commentaire et c'est ce que l'on vous demandera à l'oral lors des colles et des concours. Mais ici, il vous est demandé, en mimant le texte, de restituer l'essentiel de son argumentation en respectant l'ordre qui la régit. Cette restitution exige de vous non seulement la compréhension du texte, mais aussi de réelles capacités d'expression pour ne pas trahir la pensée d'autrui qui vous est présentée. Il s'agit bien d'un travail de réécriture. Les deux maîtres mots de l'exercice sont : rigueur et efficacité.

Les contraintes

En première place dans le cahier des charges, il vous faut savoir qu'une contraction se fait au 1/10e : si le texte compte 2 500 mots, vous écrirez un résumé de 250 mots avec une marge de 10 %. Avant même de lire le passage que vous avez à résumer, souvenez-vous que vous devez suivre l'ordre et la hiérarchie du texte (on ne mélange pas les arguments qui sont à un bout et à l'autre du texte) et que vous devez donc mimer le mouvement du texte. De la même façon, le respect du système énonciatif du texte participe de ce jeu de mime : si l'auteur dit « je » ou « nous », vous écrirez « je » ou « nous ». Quoi de mieux pour entrer dans le point de vue de l'auteur, dont vous ne devez jamais vous éloigner ! Vous n'écrirez donc pas « Selon un tel » ou « L'auteur pense que… ». Ne vous y trompez pas, cette soumission apparente au texte, dans sa manière comme dans sa matière, manifeste une maîtrise parfaite de son contenu. Encore une fois, dans la contrainte apparaît l'idée. Cette maîtrise du texte ne s'acquiert que dans son analyse.

Analyse

En lisant le texte une première fois, vous avez une vague idée de l'objet de la démonstration. Gardez cette idée en tête lorsque vous relisez : cet objet est-il exactement le bon ? La thèse de l'auteur doit vous apparaître nettement et vous devez être capable, crayon en main, de la formuler en une phrase sur votre brouillon. Vous devez aussi définir le point de départ et le point d'arrivée du texte : avez-vous remarqué une évolution, un retour au même ? Alors commencent l'analyse et le tri. Dans votre résumé, vous éliminerez souvent les exemples parce que ce sont les idées que vous devez mettre en avant. Si ces exemples ne sont pas que des illustrations mais participent pleinement de l'argumentation, vous les rendrez brièvement : « L'exemple de … montre… » Armez-vous alors de couleurs pour mettre entre parenthèses les exemples et souligner les idées principales d'une couleur pendant que vous soulignerez les connecteurs logiques (mots de liaison) d'une autre couleur. Vous êtes donc déjà en train de vous demander comment fonctionne l'argumentation : quelles sont les étapes du raisonnement du texte ?

Structure

Vous passez alors au repérage du schéma argumentatif du texte : il s'agit de prendre un peu de recul et d'essayer de trouver les quelques tournants essentiels du texte qui délimiteront les paragraphes de votre résumé, paragraphes qui ne seront pas forcément les mêmes que ceux du texte (si le texte en compte dix, et que vous devez écrire 150 mots, vous n'allez pas faire dix paragraphes !). C'est le plan du texte. Il s'agit alors d'être vigilant et de ne pas manquer les articulations logiques de l'argumentation. Si celles-ci ne sont pas explicites (du type « Cependant », « Même si » ou « C'est pourquoi »), il vous faudra les rétablir afin de clarifier la construction argumentative du texte et montrer que vous

vous en êtes approprié la logique. Il se peut que, sur votre brouillon, tel argument apparaisse plus important, quantitativement parlant, que dans le texte et c'est normal… Puisque vous dégagez les grandes lignes du raisonnement, vous n'essayez pas de résumer paragraphe par paragraphe mais vous en résumez certains ensemble (ils se suivent nécessairement) et vous les distinguez nettement d'autres. Vous avez le premier jet de votre résumé sur le brouillon : il est schématique.

Reformulation

Tout en restant fidèle à l'esprit du texte, vous devez vous astreindre à sa réécriture. Certains mots resteront les mêmes : ces mots clefs peuvent être conservés parce qu'il est difficile de leur trouver un équivalent notionnel exact. C'est le cas du mot « histoire » par exemple. Il s'agit de ne pas se laisser piéger par certaines tournures de phrases qui paraissent concises et brillantes. À vous d'en trouver d'autres…

Ainsi un candidat qui procéderait à un collage de différentes phrases importantes du texte à résumer serait lourdement pénalisé. Dans ce cas, sa soumission au texte révélerait non une force mais une faiblesse. Si vous avez bien compris les étapes du texte, il faut les reformuler dans un langage autonome. Attention, ce n'est pas le jeu des synonymes, c'est une appropriation intellectuellement personnelle de la pensée de l'autre. Cette reformulation, dans l'idéal, a déjà eu lieu lors de votre prise de notes dans la structuration du texte. Il est alors utile d'écrire des phrases courtes et simples. Vous pouvez passer à la rédaction… au brouillon ! Car vous allez alors compter et reformuler jusqu'au moment d'écrire au propre.

Chacune de ces étapes doit être respectée…

En cas contraire, le manque d'analyse vous conduit au contresens, le manque de structure à la confusion et l'absence de reformulation à l'absence d'appropriation. Ces manquements vous empêchent largement d'atteindre la moyenne alors que le respect des règles peut vous amener facilement à de bons résultats.

La dissertation

Règles du jeu, règles d'or

L'exercice est plus familier mais aussi tellement redouté… Pourtant, il est un beau moment de la pensée quand il est maîtrisé. D'une démonstration mathématique on dira parfois qu'elle est belle et il en va de même pour la démonstration dissertative. Le programme vous permet d'acquérir des connaissances en contexte et cet atout de poids vous aidera à concevoir vos dissertations : si vous travaillez régulièrement, les sujets proposés vous parleront et trouveront en vous de nombreux échos qu'il faudra organiser. Que le sujet soit une simple question ou bien une citation, vous éprouverez toujours un vertige tant que vous n'aurez pas mis à plat et organisé les questions adjacentes ou essentielles que le sujet soulève. Ce travail d'organisation n'est-il pas celui qui vous attend dans votre future vie professionnelle ? Là encore, l'épreuve révèle de véritables enjeux, autres que purement scolaires. Vous adapter à un sujet n'est pas répondre à une question de cours mais faire la preuve que votre intelligence – cette capacité à faire du lien, étymologiquement – est en action. Qu'une question de cours entre en résonance avec le sujet proposé est une chance mais aussi un piège : vous aurez des références en tête mais il ne faut pas manquer la spécificité du sujet ! Comment le sujet réagit-il en contact avec le programme et comment celui-ci est-il éclairé par celui-là ? Mobiliser ses connaissances dans une argumentation construite et personnelle n'est pas réciter un catéchisme ni faire un exposé exhibitionniste d'opinion (vous ne direz pas : « Je pense que, pour ma part… ») ; il s'agit bel et bien d'un effort de réflexion. Pesez ces termes : opinion et réflexion…

Analyse

Le point de départ est le même que pour le résumé. Quels sont les mots clefs du sujet ? Quelle est la construction logique du sujet ? Quelle est la thèse de l'auteur (s'il s'agit d'une citation) ? Quelle thèse principale est induite par la question (s'il s'agit d'une question) ? L'affirmation contenue dans le sujet doit être discernée dans sa spécificité : s'appuie-t-elle sur le rejet d'une conception tacitement reconnue ou s'établit-elle dans un paradoxe qu'il faudra expliciter ? La tonalité de la citation est souvent à prendre en compte : le ton est-il critique, provocateur, ironique ou le sujet se présente-t-il simplement comme un constat ? Toutes ces questions doivent vous orienter pour débusquer le sens profond de l'énoncé. Cette étape est décisive car c'est à partir d'elle que s'élabore une problématique.

Problématisation

Il ne s'agit pas de mettre un point d'interrogation à la citation ou de reprendre la question posée… mais bel et bien d'interroger le sujet en son cœur. Comment faire ? Au brouillon, vous devez faire naître une tension entre ce qui semble être proposé par le sujet et les objections possibles qui infléchiraient cette proposition. Vous allez alors dégager l'intérêt des présupposés du sujet et mettre en doute leur hégémonie : cette position est-elle tenable partout et en tout lieu ? N'y a-t-il pas un problème tapi dans l'ombre ? Pourquoi ? Ici s'opère non une simple opposition au sujet, mais une recherche du fondement de la thèse exprimée pour pouvoir la nuancer. Alors vous pourrez mesurer ces différents axes de réflexion à l'aune des œuvres et éventuellement des autres références dont vous pourriez disposer.

Progression et organisation

C'est le moment crucial de votre préparation au brouillon ! Une fois que la problématique a été dégagée, il faut considérer la thèse du sujet comme l'argument majeur de la conversation fictive que vous entamez avec lui. Votre première partie devra donc dire pourquoi on peut envisager légitimement l'énoncé comme valable : cette adhésion au sujet est non seulement une politesse faite au sujet mais une marque de votre honnêteté intellectuelle. En effet, si vous n'envisagez pas les arguments de votre adversaire, comment pourrez-vous y répondre ? À l'intérieur de cette partie, il faut mettre en valeur un raisonnement qui corrobore les présupposés du sujet, et cela s'organise. Prévoyez deux ou trois sous-parties : 1) constat, 2) causes ; ou 1) manifestations évidentes, 2) causes premières, 3) causes plus lointaines. La transition se dégage alors et marque un temps fort de votre dissertation : mettez-la en valeur entre les deux parties. C'est le moment de résumer brièvement le résultat de la logique de la première partie et de montrer où gît le problème qui fera rebondir votre travail. Il ne s'agit pas de juxtaposer deux opinions (« Si on peut dire que, on peut aussi dire que » ni, pire : « Ceci est vrai mais c'est aussi faux »), signe d'une faiblesse de la logique et de la pensée, mais il s'agit de nuancer votre réflexion : « Force est de constater que... cependant, le principe même d'une telle vision engendre quelques difficultés... » ou « Cette réflexion nous a conduit à considérer que... mais cette proposition ne contient-elle pas un paradoxe ? » (qu'il faut expliciter). Ainsi vous n'annulez pas la validité de la première partie mais vous vous appuyez sur elle pour dégager peu à peu une autre vision. Ce sera la même opération lorsque vous aborderez la troisième partie, si vous en faites une – ce qui est fortement recommandé. Ce n'est donc pas : thèse, antithèse, synthèse, mais : considération, reconsidération et approfondissement – ou dépassement. La métaphore de la veste est aussi valable : vous entrez chez un tailleur et essayez une veste qui, en première partie, semble vous aller très bien ; cependant, en deuxième partie, vous indiquez au tailleur les endroits qui, à bien y réfléchir, mériteraient quelques retouches ; enfin, en troisième partie, s'effectuent les retouches et l'allure de la veste à changé (elle convient mieux). Cette métaphore suppose que vous savez, au brouillon, dans quelle direction vous allez. « Mais si je suis d'accord avec la citation, comment dois-je construire ? » pourriez-vous dire... C'est qu'alors vous n'avez pas bien saisi les enjeux de l'exercice ! Car vous n'allez pas forcément dire le contraire de ce que propose le sujet ; vous allez le confronter, dialectiquement, à ses propres limites afin que, passé à l'épreuve du feu, il soit épuré : la veste, une fois retouchée, conserve la couleur et la matière qui vous ont plu dans la vitrine.

Confrontation des œuvres

Point délicat encore... Il faut absolument pouvoir comparer les trois œuvres et non les juxtaposer de façon monolithique : un paragraphe, correspondant à une sous-partie, est guidé par une idée, un argument, que vient corroborer la comparaison des œuvres. Il faut alors utiliser les formules consacrées, soulignant les similitudes ou les nuances : « Ainsi »,

« De même... », « Pour Chateaubriand comme pour Marx... », « Alors que dans *Horace*..., dans les *Mémoires d'outre-tombe*... », « Même si Marx..., Corneille... ». Vous n'êtes pas obligé de faire apparaître systématiquement les trois œuvres dans chaque sous-partie, mais il est clair que la confrontation de deux auteurs y est attendue. Faites en sorte que les trois œuvres apparaissent dans chaque partie, confrontées deux à deux si vous le voulez.

La présentation

Vous viendrait-il à l'idée de vous rendre à un entretien d'embauche en pyjama ou de rendre au P-DG de votre entreprise un rapport ou des conclusions sur du papier toilette ? Quelque loufoques que puissent paraître ces images, elles illustrent pourtant une mise en garde : votre rédaction doit tenir compte des codes partagés par tous. La langue et la graphie ne doivent en effet pas constituer un problème à la lecture et il s'agit de respecter un certain nombre de codes courants de la communication écrite : l'assimilation de ces codes fait partie des critères de sélection. Par exemple, un titre d'ouvrage se souligne... Pour le résumé ou pour la dissertation, la conception de ce qu'est un paragraphe est essentielle ! Lorsque vous composez votre résumé, la frontière entre deux moments différents du texte, fruit de votre réflexion sur la structure, doit être matérialisée par un alinéa : aller à la ligne et laisser un retrait d'environ deux centimètres. Même principe dans la dissertation : lorsque vous avez énoncé une idée et que vous l'avez illustrée en comparant les œuvres entre elles, vous avez rédigé une sous-partie et, si vous changez d'idée, vous passez à la ligne et respectez l'alinéa (vous rédigez une autre sous-partie). Entre deux parties, la transition doit apparaître nettement en une ou deux phrases et se détache du corps de vos parties. L'introduction est également le lieu de tous les dangers d'une présentation mal maîtrisée : accroche, citation, analyse, problématisation et annonce du plan font partie du même paragraphe. Vous n'avez donc pas de raison d'aller à la ligne sans cesse pour essayer de vous dédouaner en indiquant ainsi que vous respectez les étapes de l'introduction ; c'est votre rédaction seule qui indique ces moments. Ces remarques de bon sens ne sont pas inutiles : le premier souci d'un correcteur est de savoir si le travail qu'il a sous les yeux ressemble à une dissertation ou à un résumé dans les formes. Si tel n'est pas le cas, vous vous présentez à votre entretien en pyjama… « Tout cela n'a pas beaucoup d'importance si j'ai quelque chose d'intéressant à dire ! » devez-vous vous dire… Mais précisément si : d'abord parce que vous allez non pas le dire mais l'écrire, et ensuite parce que votre projet n'est pas d'apparaître comme un génie mal compris mais de faire preuve d'originalité de pensée malgré ou, plutôt, à partir de la contrainte partagée par tous. L'épreuve sanctionne certes un niveau de réflexion élaboré et des connaissances, mais c'est aussi un exercice d'entrée dans la vie professionnelle. Il faut savoir être adulte et à la hauteur de ses ambitions.

Épreuve combinant résumé et dissertation : type « Mines d'Albi, Alès, Douai, Nantes », « Concours communs polytechniques », « Centrale-Supélec »

Beaucoup d'épreuves se présentent sous la forme d'un texte à résumer, portant sur la notion au programme, et d'un sujet de dissertation appuyé sur une citation assez courte extraite de ce même texte. Deux questions de vocabulaire et d'éclaircissement culturel peuvent être posées à partir de mots du texte : on accorde environ six à huit lignes à chaque réponse, qui se fera le plus précisément possible. Le texte est à résumer au dixième : pour les épreuves du type « concours communs Albi, Alès, Douai, Nantes » ou du type « concours communs polytechniques », le texte oscille entre 1 000 et 1 500 mots, alors que pour le type « Centrale-Supélec » le texte est plus long et se situe dans une fourchette de 2 000 à 2 500 mots. Selon les types de concours, la notation accorde entre six et dix points au résumé et dix à douze points à la dissertation :

Type de concours	Mines d'Albi, Alès,	C.C.P.	Centrale-Supélec
Parties de l'épreuve	Douai, Nantes		
Résumé	8 points	6 points	10 points
Questions	0	2 points	0
Dissertation	12 points	12 points	10 points

Maîtrise du temps

Résumé court ou long, dans les deux cas, la méthode est la même et il est recommandé de procéder à l'examen attentif du texte ainsi qu'à son résumé au début de l'épreuve, qui dure quatre heures. Cette étape ne doit dépasser en aucun cas la moitié du temps imparti. Il est généralement conseillé de consacrer une heure et demie au résumé afin d'avoir le temps d'élaborer un plan réfléchi de dissertation qui vous conduira à une rédaction sans heurts.

L'étape de la rédaction de la dissertation ne sera envisageable que lorsque votre plan détaillé vous convaincra vous-même : vous aurez alors l'énergie rhétorique requise dans cet exercice, dont on vous demande parfois de limiter le nombre de mots… Maîtriser le temps est donc un des premiers critères de sélection de ces épreuves. Si vous avez fini trop tôt, cela n'est pas très bon signe : ou le résumé n'est pas assez nuancé, ou la dissertation manque de moyens. Seul l'entraînement vous aidera à réajuster le tir. Dans tous les cas, vous réserverez un temps de relecture incompressible : entre dix minutes et un quart d'heure seront en effet nécessaires pour vérifier la cohérence syntaxique et la correction orthographique de votre prose. L'épreuve de « Centrale-Supélec » n'est-elle pas appelée « rédaction » ? Il serait dommage que vos intentions de bien faire soient trahies par des bévues impardonnables et donc lourdement sanctionnées : dans un concours, de même que dans votre future vie professionnelle, tout compte.

Exemple de sujet combinant résumé et dissertation

« Accélération de l'histoire ». Au-delà de la métaphore, il faut prendre la mesure de ce que l'expression signifie : un basculement de plus en plus rapide dans un passé définitivement mort, la perception globale de toute chose comme disparue – une rupture d'équilibre. L'arrachement de ce qui restait encore de vécu dans la chaleur de la tradition, dans le mutisme de la coutume, dans la répétition de l'ancestral, sous la poussée d'un sentiment historique de fond. L'accession à la conscience de soi sous le signe du révolu, l'achèvement de quelque chose depuis toujours commencé. On ne parle tant de mémoire que parce qu'il n'y en a plus.

La curiosité pour les lieux où se cristallise et se réfugie la mémoire est liée à ce moment particulier de notre histoire. Moment charnière, où la conscience de la rupture avec le passé se confond avec le sentiment d'une mémoire déchirée ; mais où le déchirement réveille encore assez de mémoire pour que puisse se poser le problème de son incarnation. Le sentiment de la continuité devient résiduel à des lieux. Il y a des lieux de mémoire parce qu'il n'y a plus de milieux de mémoire.

Qu'on songe à cette mutilation sans retour qu'a représentée la fin des paysans, cette collectivité-mémoire par excellence dont la vogue comme objet d'histoire a coïncidé avec l'apogée de la croissance industrielle. Cet effondrement central de notre mémoire n'est pourtant qu'un exemple. C'est le monde entier qui est entré dans la danse, par le phénomène bien connu de la mondialisation, de la démocratisation, de la massification, de la médiatisation. À la périphérie, l'indépendance des nouvelles nations a entraîné dans l'historicité les sociétés déjà réveillées par le viol colonial de leur sommeil ethnologique. Et par le même mouvement de décolonisation intérieure, toutes les ethnies, groupes, familles, à fort capital mémoriel et à faible capital historique. Fin des sociétés-mémoires, comme toutes celles qui assuraient la conservation et la transmission des valeurs, Église ou école, famille ou État. Fin des idéologies-mémoires, comme toutes celles qui assuraient le passage régulier du passé à l'avenir ou indiquaient, du passé, ce qu'il fallait retenir pour préparer l'avenir ; qu'il s'agisse de la réaction, du progrès ou même de la révolution. Bien plus : c'est le mode même de la perception historique qui, media aidant, s'est prodigieusement dilaté, substituant à une mémoire repliée sur l'héritage de sa propre intimité la pellicule éphémère de l'actualité.

Accélération : ce que le phénomène achève de nous révéler brutalement, c'est toute la distance entre la mémoire vraie, sociale et intouchée, celle dont les sociétés dites primitives, ou archaïques, ont représenté le modèle et emporté le secret – et l'histoire, qui est ce que font du passé nos sociétés condamnées à l'oubli, parce que emportées dans le changement. Entre une mémoire intégrée, dictatoriale et inconsciente d'elle-même, organisatrice et toute-puissante, spontanément actualisatrice, une mémoire sans passé qui reconduit éternellement l'héritage, renvoyant l'autrefois des ancêtres au temps indifférencié des héros, des origines et du mythe – et la nôtre, qui n'est qu'histoire, trace et tri. Distance qui n'a fait que s'approfondir au fur et à mesure que les hommes se sont reconnu, et toujours davantage depuis les temps modernes, un droit, un pouvoir et même un devoir de changement. Distance qui trouve aujourd'hui son point d'aboutissement convulsif.

Cet arrachement de mémoire sous la poussée conquérante et éradicatrice de l'histoire a comme un effet de révélation : la rupture d'un lien d'identité très ancien, la fin de ce que nous vivions comme une évidence : l'adéquation de l'histoire et de la mémoire. Le fait qu'il n'y ait qu'un mot, en français, pour désigner l'histoire vécue et l'opération intellectuelle qui la rend intelligible (ce que les Allemands distinguent par *Geschichte* et *Historie*), infirmité de langage souvent soulignée, délivre ici sa profonde vérité : le mouvement qui nous emporte est de même nature que celui qui nous le représente. Habiterions-nous encore notre mémoire, nous n'aurions pas besoin d'y consacrer des lieux. Il n'y aurait pas de lieux, parce qu'il n'y aurait pas de mémoire emportée par l'histoire. Chaque geste, jusqu'au plus quotidien, serait vécu comme la répétition religieuse de ce qui s'est fait depuis toujours, dans une identification charnelle de l'acte et du sens. Dès qu'il y a trace, distance, médiation, on n'est plus dans la mémoire vraie mais dans l'histoire. Pensons aux Juifs, confinés dans la fidélité quotidienne au rituel de la tradition. Leur constitution en « peuple de la mémoire » excluait un souci d'histoire jusqu'à ce que son ouverture au monde moderne lui impose le besoin d'historiens.

Mémoire, histoire : loin d'être synonymes, nous prenons conscience que tout les oppose. La mémoire est la vie, toujours portée par des groupes vivants et à ce titre, elle est en évolution permanente, ouverte à la dialectique du souvenir et de l'amnésie, inconsciente de ses déformations successives, vulnérable à toutes les utilisations et manipulations, susceptible de longues latences et soudaines revitalisations. L'histoire est la reconstruction toujours problématique et incomplète de ce qui n'est plus. La mémoire est un phénomène toujours actuel, un lien vécu au présent éternel ; l'histoire, une représentation du passé. Parce qu'elle est affective et magique, la mémoire ne s'accommode que des détails qui la confortent ; elle se nourrit de souvenirs flous, télescopants, globaux ou flottants, particuliers ou symboliques, sensible à tous les transferts, écrans, censures ou projections. L'histoire, parce qu'opération intellectuelle et laïcisante, appelle analyse et discours critique. La mémoire installe le souvenir dans le sacré, l'histoire l'en débusque, elle prosaïse toujours. La mémoire sourd d'un groupe qu'elle soude, ce qui revient à dire, comme Halbwachs l'a fait, qu'il y a autant de mémoires que de groupes ; qu'elle est, par nature, multiple et démultipliée, collective, plurielle et individualisée. L'histoire, au contraire, appartient à tous et à personne, ce qui lui donne vocation à l'universel. La mémoire s'enracine dans le concret, dans l'espace, le geste, l'image et l'objet. L'histoire ne s'attache qu'aux continuités temporelles, aux évolutions et aux rapports des choses. La mémoire est un absolu et l'histoire ne connaît que le relatif.

Au cœur de l'histoire travaille un criticisme destructeur de mémoire spontanée. La mémoire est toujours suspecte à l'histoire, dont la mission vraie est de la détruire et de la refouler. L'histoire est délégitimation du passé vécu. À l'horizon des sociétés d'histoire, aux limites d'un monde complètement historisé, il y aurait désacralisation ultime et définitive. Le mouvement de l'histoire, l'ambition historienne ne sont pas l'exaltation de ce qui s'est véritablement passé, mais sa néantisation. Sans doute un criticisme généralisé conserverait-il des

musées, des médailles et monuments, c'est-à-dire l'arsenal nécessaire à son propre travail, mais en les vidant de ce qui, à nos yeux,
en fait des lieux de mémoire. Une société qui se vivrait intégralement
sous le signe de l'histoire ne connaîtrait en fin de compte, pas plus
qu'une société traditionnelle, de lieux où ancrer sa mémoire.

Pierre Nora, *Les Lieux de mémoire* (dir.), Paris, Gallimard, Quarto,
« Entre Mémoire et Histoire », « 1. La fin de l'histoire-mémoire »
(pp. 23-25).

1/ Résumé de texte :

Vous résumerez ce texte en 120 mots (plus ou moins 10 %). Vous
les comptabiliserez de 50 en 50 en matérialisant ce décompte par
un trait vertical et indiquerez obligatoirement votre total exact. Un
écart compris entre 10 et 20 % par rapport à la norme de 120 mots
entraînera une division de la note par deux. Un écart supérieur
à 20 % entraînera la note zéro. Il est rappelé que « c'est-à-dire »
compte pour 4 mots, « j'espère » pour 2 mots, ou « a-t-il » pour 2
mots (car « t » n'a pas de signification propre). Si certains mots du
texte peuvent être exceptionnellement utilisés, on proscrira toute
reprise directe des formulations de l'auteur.

2/ Dissertation :

« La mémoire installe le souvenir dans le sacré, l'histoire l'en débusque, elle prosaïse toujours. »
Dans quelle mesure cette distinction de Pierre Nora vous paraît-elle
convenir aux œuvres au programme ?

Le résumé

Contexte

Vous ne pouvez pas forcément connaître le contexte dans lequel se
situe le texte que vous devez résumer mais cet éclairage vous est donné
ici de sorte que vous ne vous mépreniez pas sur le sens général de l'ex-

trait. Après avoir établi la fin de l'« histoire-mémoire », le texte montrera comment la mémoire peut devenir malgré tout un objet d'étude de l'histoire en tant qu'elle est une représentation du passé. Les « lieux de mémoire », qui ne sont pas toujours repérables géographiquement, constituent, selon l'expression de Pierre Nora, « un instrument d'intelligibilité de l'histoire ». La mémoire en appelle à l'émotion et au savoir, aux sens autant qu'au culte des grands noms. Une mémoire qui s'attache à tout et à presque rien, à une impression, à un imaginaire comme à des faits et des personnages, qui capte l'histoire dans ce qu'elle a au fond de plus secret. Pierre Nora, dans sa contribution sur la « mémoire collective » dans l'encyclopédie *La Nouvelle Histoire*, constate que « l'histoire s'écrit désormais sous la pression des mémoires collectives », qui cherchent à « compenser le déracinement historique du social et l'angoisse de l'avenir par la valorisation d'un passé qui n'était pas jusque-là vécu comme tel ». Du statut de matériaux et de sources, ces mémoires deviennent alors des objets historiques en tant que tels. L'histoire de la mémoire peut être analysée comme l'un des champs de l'histoire des représentations. Dans la lignée des analyses de Maurice Halbwachs (*La Mémoire collective*, 1950), l'histoire de la mémoire collective est conçue comme une histoire des usages du passé dans les présents successifs.

Analyse

Lorsque vous lisez le texte à résumer, vous voyez combien le projet évoqué, dans le contexte, n'en est qu'à ses débuts. C'est la fin du texte qui dicte le sens général du propos un peu abstrait dans les deux premiers paragraphes. Il s'agit de montrer que l'histoire, en tant que discipline intellectuelle (et non en tant que mouvement de l'humanité, événements successifs), se départ de la simple fonction de relation d'événements que la mémoire individuelle ou collective a, par le passé, privilégiée. C'est l'« arrachement » douloureux de l'histoire à la mémoire. L'analyse du texte doit donc mettre en évidence la distinction entre mémoire et histoire : il faut alors vous poser la question de savoir comment cette différence se met en place. Quelles étapes sont nécessaires à l'établissement de cette dernière ? De quelle nature est-elle ? S'inscrit-elle dans la valorisation de l'une au détriment de l'autre ? Ces questions vous permettront de dégager les grandes lignes du texte et d'établir un schéma logique. Vous vous apercevez ainsi que la mémoire n'est pas une entrave à l'histoire et qu'elle n'est pas disqualifiée. Mais il est nécessaire, d'après l'auteur, de distinguer la notion affective, communautaire, de la mémoire et le discours analytique et intellectuel de l'histoire. La mémoire dématérialise le passé en le spiritualisant, en le fantasmant, et l'histoire vide aussi le passé de sa substance en en faisant un objet purement intellectuel, fruit de causalités et de déterminations. Le danger inhérent à ce détachement du passé de l'individu est le suivant : ce discours objectif de l'histoire se dégage de la subjectivité de la mémoire, peut-être à raison, mais peut-être aussi au point que l'histoire se déshumanise et se coupe de son objet d'étude.

Structure

Les connecteurs logiques ne sont pas nombreux dans le texte sauf pour confronter histoire et mémoire. Il faut alors rétablir une argumentation qui étaye la thèse du remplacement de la mémoire par l'histoire, mais savoir repérer les nuances.

Les deux premiers paragraphes posent le problème de la disparition de la mémoire comme conservation du passé, et situent la cause du phénomène dans l'« accélération de l'histoire », c'est-à-dire la conscience que ce passé n'est plus vivant, conscience historique.

Les trois paragraphes suivants s'associent pour expliquer et développer l'idée que la modernité fait prendre conscience du caractère daté, historique, de ce que l'on pensait être toujours vivant dans nos croyances ou principes. Cette corroboration et cette explicitation de la thèse doit être sensible car elle introduit l'idée que les lieux de mémoire représentent un enjeu en gardant la trace de la mémoire exclue de l'histoire.

Les deux derniers paragraphes, enfin, opposent les deux notions frontalement en essayant de les définir l'une par rapport à l'autre, expliquant alors la raison profonde du malaise (ou de la crise) exposé au début du texte. C'est une conclusion qui résume les tenants et les aboutissants du problème, et qui révèle en filigrane – ce que le résumé proposé n'a pu suggérer que par l'adverbe « pourtant » – que l'histoire qui ne réfléchirait pas à la mémoire et à ses lieux serait aussi inconsistante que la mémoire.

Proposition de résumé (124 mots)

Le fossé entre histoire et mémoire se creuse toujours davantage. Ce qui était vécu dans le présent de la mémoire disparaît dans l'histoire et la mémoire tend à ne survivre que dans des lieux symboliques.

L'ouverture au monde et à l'altérité dissout, en effet, la mémoire traditionnelle inscrite dans les communautés. L'analyse objective du changement l'emporte alors sur la tentation archaïque du légendaire et l'histoire exclut la mémoire.

Ouvertement, les deux notions s'affrontent donc : si la mémoire est affective, fluctuante et construit un présent dans la répétition du symbole passé, l'histoire est critique car elle se détache de la contingence et la domine. Pourtant, l'histoire, en ôtant son pouvoir sacré au passé, le dématérialise.

La dissertation

« La mémoire installe le souvenir dans le sacré, l'histoire l'en débusque, elle prosaïse toujours. »

Analyse du sujet

Le résumé vous a déjà mis sur la voie d'une opposition entre mémoire et histoire et la citation, assez naturellement, donne un aspect de cette opposition de nature. Il faut alors cerner la spécificité des termes employés dans la citation. Pour cela, procédons à une analyse du lexique. Les verbes sont déjà signifiants : « installer » s'oppose à « débusquer », qui sous-entend que le souvenir est caché dans le « sacré », de même que le verbe « prosaïser » s'oppose à l'adjectif substantivé « sacré ». Se dessine alors au brouillon un réseau d'oppositions : la sacralisation et la fixité du souvenir dans la mémoire trouvent en regard l'action démystifiante de l'histoire. Cette action de l'histoire mettrait en prose ce que la mémoire aurait d'abord figé dans la poésie : autrement dit, si l'on comprend la métaphore, l'histoire expliciterait rationnellement les causes, les manifestations et les conséquences d'un changement, d'un événement, alors que la mémoire les condenserait en un lieu ou une croyance fondateurs et indiscutables. Dans la logique de cette opposition, la mémoire est du côté du mythe et du symbole (une partie qui révèle un tout caché), qui engendrent une vision à la fois idéalisante, hiératique et religieuse du passé, alors que l'histoire est du côté du *logos* et de l'éclaircissement rationnel du passé. Là où la mémoire implique, cache, condense et accepte les faits comme issus d'une Providence divine, l'histoire explique, met au jour les mécanismes et détermine des actions humaines sans croire au destin. Peuvent aussi s'opposer une vision particularisante, singulière et subjective du passé et une vision universalisante, rationaliste et objective de ce même passé. Corollairement, le passé s'impose sans discussion dans le souvenir sacralisé par la mémoire alors qu'il est détaillé et considéré comme un enchaînement explicable par l'histoire. Les actions humaines peuvent être déterminées dans leurs liens de causalité grâce à la lucidité de l'histoire. Cette lucidité domine l'aveuglement de la mémoire.

Problématisation

Le sujet sous-entend que la mémoire est soumise à la contingence des faits et les accepte comme une destinée décidée par une force supérieure à l'homme, qui le dépasse et peut donc s'apparenter à du « sacré ». La vérité y serait alors « révélée ». En grec ancien, le mot « apocalypse » signifie « révélation » (voir l'Évangile selon saint Jean) et on peut d'emblée penser à la Révolution et à la Terreur vues par l'ancienne France décrite par Chateaubriand : la Terreur y serait un châtiment divin. De l'autre côté, le sujet présente l'histoire comme un principe explicatif de la réalité, se méfiant de la subjectivité du souvenir, déterminant le passé par des relations causales : la vérité s'explique rationnellement. Chez Marx, la lutte des classes est un principe explicatif, voire ce qui permet de comprendre pourquoi le coup d'État de Louis Bonaparte n'en est pas un mais est rationnellement engendré par la république bourgeoise. Le présupposé majeur du sujet réside donc dans l'idée que la vision subjective du souvenir sacralisé est dominée par une vision objective et rationnelle. La croyance doit se soumettre à la raison. Le regard historique ne peut tenir un discours de recherche de la vérité que dans l'explication rationnelle qui met en place des principes qui déterminent les actions humaines. Se pose alors la question de savoir *si ce déterminisme « prosaïque » ne contient pas une part d'idéologie qui sacralise*, sans discuter, une lecture de la causalité plutôt qu'une autre. Dans ce cas, la vérité du regard historique est sujette à caution et, corollairement, on peut se demander *quelle part de vérité peut être contenue dans le « souvenir [installé] dans le sacré »*.

Pourraient donc se dessiner trois parties : 1/ acceptation de la thèse, 2/ remise en cause du principe d'explication rationnelle, et 3/ valorisation de la mémoire. Mais ce serait peut-être considérer que l'histoire ne peut pas assimiler et respecter la mémoire. Ainsi, nous préférons donner un autre mouvement à la dissertation : vers une adoption de la mémoire par l'histoire.

Plan détaillé

Nous avons choisi ici un plan en seulement deux parties afin de vous montrer un dépassement simple du problème : la seconde partie n'est donc pas une opposition figée mais une discussion progressive avec les présupposés du sujet.

Problème : La tension entre histoire rationnelle et mémoire sacralisante est-elle irréductible ?

1. L'histoire didactique contre la mystification du souvenir

a) Le mythe, dans la mémoire collective, trahit la réalité.

Les détails expliquant les causes d'un événement sont souvent gommés au profit d'une vision globale sujette à caution. Le souvenir mythique de la fondation de Rome par Remus et Romulus est invoqué pour légitimer le destin d'Horace dans la pièce de Corneille. Cette légende se heurte alors aux liens qui unissent Sabine, Curiace et Camille : la réalité est toujours plus complexe. De même, Chateaubriand montre l'inanité des représentations archaïques et simplistes de certains émigrés ayant donné naissance à l'étroitesse de vues de la Restauration des années 1820 (livre IX). Pour lui, le mythe, répandu au XIXe siècle, d'une révolution produite par une contingence qui aurait pu être évitée est une erreur parce que la révolution participe d'un processus de nécessité et s'inscrit dans la logique de l'histoire, mouvement général de transformation des civilisations.

b) Donc, la raison doit l'emporter sur le mythe.
Ainsi la lucidité rationnelle doit-elle porter un regard neuf sur des croyances fausses : Marx, dans *Le 18 Brumaire de Louis-Napoléon Bonaparte*, explique très bien comment la dette contractée par « Crapulinski » (Louis Bonaparte, au chapitre I) est un des moteurs principaux de son action politique : pas de sens généreux de l'État mais un intérêt individuel (principe historique explicatif de la lutte des classes). Cette dénonciation des apparences est visible dans la transformation du récit de Tite-Live par Corneille dans *Horace* : là où l'historien latin ne fait apparaître le meurtre de Camille que comme l'épilogue lamentable d'une action d'éclat, privilégiant l'exaltation de la grandeur de Rome à travers la geste victorieuse d'Horace, Corneille choisit de faire monter sur scène les femmes, dès le premier acte de sa pièce : Albe existe aussi dans son humanité et l'intelligibilité de l'histoire doit en rendre compte.

c) Parce que la mémoire conservatrice est désir de maintenir l'ordre ancien contre le progrès.
En allant chercher les motivations cachées de la classe bourgeoise et possédante, Marx explique que la croyance à un retournement de situation, à un abus de la confiance des parlementaires par Louis Bonaparte est un mythe forgé de toutes pièces par la classe bourgeoise pour cacher son assentiment tacite : la fin du chapitre IV montre ainsi comment, déjà aux débuts de la IIe République, le suffrage universel a été manipulé par la république bourgeoise pour faire taire le prolétariat. Si raison dans l'histoire il y a, elle s'explique par la lutte des classes. Dans les période de crise, la lutte des classes s'exacerbe lorsque les rapports de production sur lesquels pèse la tradition font obstacle au développement d'un

nouvel ordre qui apparaît. Toujours dans cette idée d'expliquer les raisons de la réaction, Chateaubriand critique le choix de l'« émigration fate » de s'attaquer à son propre pays aux côtés des étrangers (livre IX, chapitre IX) : la critique de la campagne des princes est le fruit d'une réflexion ultérieure tendue par une vision cyclique de l'histoire, certes bien différente de celle de Marx. Le providentialisme complexe de Chateaubriand est à distinguer du rationalisme marxiste.

Transition : Si l'exactitude historique doit s'armer contre le caractère trompeur des apparences et des préjugés pour rendre intelligible le devenir passé, quitte à lui ôter toute aura sacrée, la force du symbole n'est-elle pas une autre forme d'explication du passé ? L'histoire ne peut-elle pas tenter de considérer l'importance de la mémoire pour en faire un objet d'enquête ? La matière de la mémoire ne peut-elle pas être assumée par l'histoire ?

2. Le souvenir utile à une histoire reconnaissant les paramètres humains

a) L'histoire « neutre » peut être, au fond, une orientation idéologique de la pensée de l'histoire.

L'analyse historique prise à son propre piège. Chateaubriand revient sur les circonstances dans lesquelles il écrivit son *Essai historique sur les révolutions* (livre XI, chapitre II) et montre comment il était prisonnier de représentations idéologiques dépassées par le *Génie du christianisme*. L'objectivité de Marx, en revanche, n'est pas remise en cause par lui-même, mais son explication rationnelle du jeu des infrastructures repose sur une idéologie déterminée par une époque, celle de l'industrialisation : sans elle, la « république bourgeoise » n'aurait pas eu peur de l'« anarchie rouge » et la bourgeoisie industrielle n'aurait pas « applaudi servilement au coup d'État » (fin du chapitre VI). La vision marxiste du devenir historique constitue elle-même les conditions de possibilité de sa pertinence.

b) C'est donc produire un discours à partir de la mémoire collective ou individuelle.

Du singulier peut naître une vision universelle du devenir historique. La tragédie de Corneille situe son action à l'époque de la fondation de Rome et fait peser le sens de l'histoire sur un héros dont la vision dépasse la contingence particulière : son idéalisme et sa confiance « religieuse » dans le devenir historique de l'État apparaissent nettement dans son discours à sa sœur Camille avant même l'événement (acte II, scène IV). Horace tuera Camille pour appartenir à l'histoire : « Je m'immole à ma gloire, et non pas à ma sœur » (acte V, scène II). Ce discours est celui de la raison d'État prenant appui sur le souci du devenir collectif : la mémoire se transforme en histoire. De même, le regard de Chateaubriand ne peut devenir historique qu'en considérant soi-même et le devenir historique comme épiques : l'alternance entre présent de l'énonciation et passé de l'énoncé montre cette interdépendance. La pensée poétique des cycles de l'histoire en dit plus qu'une chronologie des événements : l'histoire ne prosaïse pas, elle poétise. S'arracher de la contingence, c'est donc produire un discours universel comme celui des moralistes : la vanité des actions humaines apparaît clairement au jeune Chateaubriand enfermé dans l'abbaye de Westminster (« le labyrinthe des tombeaux », livre X, fin du chapitre V). La force du symbole travaille tout le texte de Chateaubriand, qui s'empare de l'histoire pour la penser dans une logique symbolique et providentialiste : l'anecdote a alors une valeur argumentative comme l'épisode de l'anneau de mariage retrouvé (livre X, chapitre VIII), occasion d'évoquer la division tragique des deux France et de plaider pour l'innocence des suppliciés. Ce discours s'établit à partir de traces du passé, signes du souvenir.

c) Alors il faut prendre en compte les représentations de la mémoire.

Avoir conscience de l'écart entre les faits représentés et l'écriture de l'histoire : Chateaubriand commente l'écart entre le « pauvre émigré » de 1793 et le « magnifique ambassadeur » de 1822 (livre IX, chapitre III). Il sait trouver un symbole signifiant dans « un paysan vendéen » (livre XI, chapitre III) : le souvenir sacré explique l'histoire et permet d'envisager une réconciliation entre vainqueurs et vaincus. L'anecdote de l'abbaye de

Westminster va dans ce sens : en confrontant les années passées et les années à venir, Chateaubriand montre que le regard d'outre-tombe doit prendre en compte les différents lieux de mémoire pour considérer l'héritage du passé et prévoir l'avenir car une société dépérit quand elle se coupe de ses racines ou nie le mouvement qui l'ébranle. Pierre Nora, au sujet des *Mémoires d'outre-tombe*, parle d'ailleurs d'une «mémoire saisie par l'histoire». De la même façon, il faut reconnaître que Marx analyse non pas seulement l'enchaînement logique explicable des faits, mais ce que les Français ont retenu, dans leurs représentations mentales, du coup d'État (chapitre I). Plus encore, son discours est lui-même sous-tendu par des comparaisons nombreuses avec la mythologie grecque. Corneille, quant à lui, fait entrer, dans le jugement ultime du roi Tulle, le critère de la représentation glorieuse d'Horace auprès du peuple romain : ce n'est pas un déni de justice mais une compréhension visionnaire de l'Histoire.

Conclusion : Vous rappelez le mouvement de la dissertation dans un bilan qui souligne l'évolution de la pensée (la frontière entre histoire et mémoire est perméable et l'histoire doit prendre en compte les représentations passées du passé) et vous ouvrez éventuellement vers un problème plus large : l'histoire peut-elle se départir d'un sens construit par ceux qui font l'Histoire ? («histoire» avec une minuscule = discipline, «Histoire» avec une majuscule = mouvement des événements).

Épreuve ne présentant qu'un sujet de dissertation

Une autre catégorie d'épreuves vous propose un seul sujet de dissertation, sous la forme d'une citation dont la source est toujours mentionnée mais dont le contexte n'est pas donné, ou sous la forme d'une question libre, du type de celles que vous avez connues lors du baccalauréat en philosophie. Dans tous les cas, la démarche ne change guère : il faut analyser le sujet avant de le problématiser et de construire un plan détaillé convaincant et de procéder à la rédaction.

Cette épreuve dure entre trois et quatre heures suivant les concours : trois heures pour la banque « agro-véto », E3A et Mines-Ponts, trois heures et demie pour la banque G2E, quatre heures pour la banque PT, les ENS et Polytechnique. Il s'agit alors non seulement de savoir gérer son temps, comme dans toute épreuve, mais surtout de savoir mettre à profit le temps imparti pour bâtir une dissertation irréprochable. Si, dans une épreuve combinée, vous êtes souvent amené à élaborer un plan en deux parties pour être certain d'achever à temps, il va sans dire qu'en trois ou quatre heures on vous pardonnera difficilement de ne pas avoir approfondi votre réflexion. Il vous faudra donc trois parties et un mouvement dynamique mais nuancé de la pensée. Très exceptionnellement, il peut être acceptable de n'envisager que deux parties. Encore faudra-t-il légitimer ce choix dans et par votre travail ! Certains sujets se prêtent en effet difficilement au mouvement tripartite, mais ils sont rares. Autant donc vous entraîner dans l'idée des trois parties ! Le mouvement progressif, organisé et nuancé de la pensée sera toujours valorisé. Ne l'oubliez surtout pas.

Exemple de sujet-question

« Peut-on penser que l'histoire a un sens ? »
Vous répondrez à cette question en vous appuyant sur les œuvres au programme.

Analyse du sujet

Le terme « histoire » reçoit des sens différents et, de ce fait, est ambigu. Cependant l'ambiguïté du terme n'est pas un défaut mais une indication. Elle nous indique la complexité de la réalité historique même. Ce terme désigne principalement deux ordres de réalité fort différents : le devenir historique et la connaissance qu'on en prend. Ainsi on entend d'une part par « Histoire » ce qui arrive à une société ou à un individu, l'ensemble des états par lesquels passe une réalité. Ce sont les événements qui surgissent dans leur vie, les affectent et les transforment. Ce premier sens renvoie donc aux faits historiques, autrement dit : à la réalité historique « objective ». D'autre part, le terme désigne aussi la conscience ou la connaissance que l'on peut avoir du passé. Il n'y aurait d'histoire que pour un être qui peut prendre conscience de ce qui a lieu ou a eu lieu. Il est alors pertinent de dire que la Nature au sens strict n'a pas d'histoire. On peut en effet parler d'évolution, de transformation des espèces vivantes comme du milieu naturel, mais cette évolution n'est pas consciente d'elle-même, une conscience de soi. À l'opposé, l'homme en transformant son milieu se transforme lui-même et peut aussi prendre conscience et interroger ces transformations. L'histoire, comme son étymologie l'indique, est alors une enquête qui s'appuie sur la mémoire des témoins, une étude s'efforçant de connaître le passé, notamment les actions humaines, afin qu'on en conserve la trace contre les risques et les dangers de l'oubli. Cette recherche ou cette conservation de ce qui a eu lieu renvoie donc à un sujet conscient, à une subjectivité. Il y aurait une subjectivité de l'histoire. Si l'on peut penser que l'histoire a un sens, celui-ci sera relatif à l'historicité humaine. Le sujet vous invite donc à penser l'histoire en fonction de cette idée.

Problématisation

La situation de l'homme par rapport à l'histoire est à l'origine de cette ambiguïté entre objectivité et subjectivité. En effet, dans une science expérimentale (la physique, la chimie…), l'homme élabore une connaissance et une théorie qui, en principe, se détachent de lui pour devenir universelles et indépendantes. La connaissance historique, au contraire, ne peut se séparer des hommes qui sont dans l'histoire, qui la font ou qui s'efforcent de lui donner une intelligibilité. Le sujet travaille également une autre équivocité, celle du terme de sens qui désigne l'orientation, la direction mais également la signification, l'interprétation, l'herméneutique, c'est-à-dire la recherche et la constitution d'un sens. Chacune des trois œuvres montre plus ou moins explicitement (Marx explicite clairement, Chateaubriand s'interroge et Corneille suggère) que la question de la signification historique dépend du point de vue de celui qui y participe ou qui cherche à l'analyser. La difficulté du sujet, le véritable problème posé par la question « Peut-on penser que l'histoire a un sens ? » tient à cette double ambiguïté, à la connexion qui peut exister entre ces quatre sens. La problématique doit prendre en charge ce chiasme entre les différents sens du sujet ! Et elle pourrait se formuler ainsi : faut-il penser une orientation de la réalité historique humaine si l'on veut construire sa signification au sein d'une étude historique ?

Plan détaillé

Ce plan est plus schématique que le précédent et vous montre comment la progression pourrait s'élaborer rapidement à partir de la question : « L'orientation historique est-elle liée à la pensée de sa signification ? » À vous de choisir les références aux œuvres qui seront confrontées dans chaque sous-partie.

1. L'orientation comme support de la signification : la valorisation de la téléologie (= étude de la finalité)

a) Histoire et écriture

On a l'habitude de dire que l'histoire commence avec l'écriture, lorsque les hommes se racontent (eux-mêmes) dans des récits. L'écriture laisse alors des traces objectives et durables et rend possible la constitution d'archives qui consignent et mémorisent le passé. La parole, à l'inverse, se tiendrait dans un présent vivant, une immobilité de l'identité dans la mémoire. Le théâtre n'est-il pas à la frontière entre ces deux modalités ? Mais il ne suffit pas d'écrire l'histoire pour faire œuvre d'historien. Encore faut-il la penser en fonction de causalités et tenter de l'arracher au non-sens en visant la vérité.

b) Le sens philosophique de l'histoire

Reprenant le projet de Kant initié dans son opuscule sur l'histoire, *Idée d'une histoire universelle au point de vue cosmopolitique*, Hegel, dans ses *Leçons sur la philosophie de l'histoire*, tente de déchiffrer et d'interpréter l'histoire universelle de l'humanité à la lumière de l'idée ou du principe que « la raison gouverne le monde ». Recherche de l'intelligibilité totale de l'histoire qui peut être aussi une recherche de la valeur du symbole ou une conception tragique de l'histoire.

Transition : Tragédie, Mémoires ou essai historique peuvent tous trois dessiner une finalité de l'histoire, mais l'idée d'un sens est-elle nécessairement liée à l'idée d'une fin ? La conception cyclique de l'histoire, par exemple, peut-elle être une pensée de la finalité ? Si l'histoire apparaissait comme désorientée, l'idée de signification serait-elle toujours liée à ce mouvement ?

2. La rupture de l'identification entre l'orientation et la signification

a) Remise en question interne : critique de l'idée d'orientation
Les événements historiques semblent s'enchaîner dans une logique qui pourrait cependant nous échapper : quelle part de contingence y a-t-il dans ce déroulement historique ? Ce que nous percevons des faits bruts ne vient-il pas contredire l'idée d'une direction ou d'une orientation de l'histoire ? Bien souvent, on croit saisir un sens des événements qui s'oppose à leur explication et à leur réalité. La linéarité rencontre des accidents.

b) Remise en question externe : critique de l'idée de progrès et de l'idée de décadence
Corollairement, optimisme et pessimisme peuvent être remis en question comme des projections de la pensée qui n'ont pas de rapport avec les faits. Voir le mouvement de l'histoire comme une chute, une ascension ou une apocalypse peut être le signe d'un manque de recul critique.

Transition : Si le mouvement de l'histoire semble bien éloigné de la ligne droite et si la tension historique naît d'un conflit entre signification et orientation, il faut alors adopter une autre démarche pour tenter de dégager du « sens » là où il semble échapper : il s'agit non pas de donner une réponse simple et définitive mais d'interroger et de réfléchir.

3. La construction scientifique du sens, la pluralité sémantique et l'historicité

a) Écrire l'histoire autrement
Prendre en compte la subjectivité humaine, ce n'est pas penser que tout est relatif mais c'est penser que l'histoire se construit à partir d'une matière mouvante et difficilement saisissable : le regard historique ne

peut alors prétendre à une explication absolue du passé. Il faut donc considérer qu'écrire l'histoire, c'est prendre en compte la mémoire, les représentations subjectives, plus ou moins déterminées, de certains groupes idéologiquement constitués ou de certains esprits libres et visionnaires.

b. La construction du fait historique

L'historien construit son objet et l'objet de l'histoire change avec l'histoire elle-même. Au XIXe siècle, le privilège traditionnel de l'événement et de l'histoire politique s'estompe au profit de l'histoire sociale et économique, de l'histoire des mentalités au XXe siècle. De nouveaux objets envahissent le territoire de l'historien. Ces objets sont visibles dans la littérature des siècles passés.

Voir Pierre Nora et Jacques Le Goff (dir.), *Faire de l'histoire* (Folio histoire nos 16, 17 et 18, 1974) : l'historien y constate le fait que «nous vivons l'éclatement de l'histoire», que les méthodes, les objets historiques ont changé de nature. L'objet de l'histoire est maintenant «l'homme tout entier, avec son corps, son alimentation, ses langages, ses représentations, ses instruments techniques et mentaux qui changent plus ou moins vite, tout ce matériel autrefois négligé»... Est remise en question l'histoire globale au profit de l'histoire générale.

Conclusion : Les enjeux épistémologiques et éthiques de l'histoire se mêlent au point qu'on retiendra que le sens historique est d'abord lié à une rationalité critique (on ne peut renoncer à ordonner la matière historique pour construire une connaissance historique), mais aussi que l'histoire elle-même est une approche imparfaite de la connaissance de l'homme. Cette science humaine montre, analyse et critique des modèles qui orientent nos actions présentes.

Questions de notation

Il est temps, enfin, de vous montrer un aperçu des critères de notation de la dissertation qui indiquera bien assez que les notes, en français-philosophie, ne sont évidemment pas dues au hasard. Avec du travail et de la réflexion, il est tout à fait possible d'obtenir une note très correcte, voire brillante.

Méthode

Introduction analysant le sujet, le citant, proposant une problématisation et annonçant le plan, transitions entre les parties, conclusion : vous assurez une présentation dans les formes et prédisposez bien votre jury. Si votre problématique est pertinente et si vous tenez les promesses de votre annonce de plan, vous pourrez sans doute atteindre et dépasser la moyenne. Mais les topos trop généraux, remplaçant l'étude précise du sujet proposé, tombant dans le piège de la question de cours, encourent le risque d'une note vraiment inférieure à la moyenne.

Connaissances et références

Les impasses sur une œuvre (ou plusieurs) sont lourdement sanctionnées. Même si votre dissertation présente une construction et une argumentation cohérentes, vous n'avez pas joué avec les mêmes règles du jeu que les autres, et votre note ne pourra guère dépasser 7 ou 8/20. De la même façon, si vous ne confrontez pas les œuvres à l'intérieur de chaque sous-partie et que vous vous contentez d'énumérer les exemples en mettant d'un côté Corneille en première partie, Chateaubriand en deuxième et Marx en troisième (ou Marx en première sous-partie, Chateaubriand en deuxième sous-partie, et ainsi de suite dans chaque partie), vous juxtaposez, vous ne pensez pas « ensemble » et votre note ne peut pas dépasser la moyenne.

Correction de l'expression et de la langue

Boileau, dans son *Art poétique*, écrivait :

« Ce que l'on conçoit bien s'énonce clairement
Et les mots pour le dire arrivent aisément. **»**

En deçà de cette clarté et de cette précision de la langue et de la pensée, c'est-à-dire votre style, qui peut être valorisant ou disqualifiant, sachez que votre orthographe aussi est notée : l'excès de fautes, rendant la lecture pénible, voire difficile, est un signe de difficulté d'expression qui peut pénaliser la communication de votre pensée, ce qui est déjà un handicap, mais, concrètement, deux ou trois points, voire plus, peuvent être facilement enlevés à la note d'ensemble.

Vous voilà avertis des contraintes, à vous d'en faire naître l'idée… et la bonne copie.

TABLE DES MATIÈRES

Ouvertures: L'histoire, entre interprétation et explication   5

Concevoir, interpréter, expliquer   7
Le point de vue sur l'histoire : la question de la vérité historique   9
Théoriser la succession historique ?   10
Équivocité du concept d'histoire   14

Perspective 1 : L'histoire ou les histoires ?   15

Une histoire providentielle ?   18
L'immutabilité du cycle historique   22
Une histoire universelle ou un concept d'histoire universelle ?   25
Une histoire particulière peut-elle détenir la clé de l'histoire
mondiale ?   28

Perspective 2 : L'objectivité de l'histoire   33

L'histoire dans le temps, objet mouvant   35
La tentation de l'opinion   39
Impossible impartialité ?   42
Événements, faits, connaissance et interprétation : l'enjeu
critique de ces distinctions   46

Perspective 3 : Le dynamisme de l'histoire   51

Le changement historique   54
Qui fait l'histoire ?   57
Le déterminisme et le problème de la causalité dans l'histoire   64
Le hasard et la nécessité   67

Perspective 4 : Leçons de l'histoire   71

Un champ d'incertitude   74
Les instrumentalisations de l'histoire   78
L'usage critique de l'histoire : un enseignement politique   82

Bilans : L'individu et l'histoire   85

L'unité de l'histoire   87
L'histoire et la nature   89
Glossaire   91
Bibliographie   93
Index des auteurs   95

Préparation aux épreuves   97

L'épreuve écrite de français-philosophie aux concours
scientifiques   99
La contraction de texte, le résumé   100
La dissertation   103
Épreuve combinant résumé et dissertation : type « Mines d'Albi,
Alès, Douai, Nantes », « Concours communs polytechniques »,
« Centrale-Supélec »   107
Le résumé   112
La dissertation   115
Épreuve ne présentant qu'un sujet de dissertation   121
Questions de notation   126

Dans la même collection

Collège – Texte et dossier
La Bible (textes choisis) (73)
50 poèmes en prose (anthologie) (113)
La création du monde (anthologie) (163)
Dracula et compagnie (9 nouvelles) (162)
La farce de maître Pathelin (117)
Le ghetto de Varsovie (anthologie) (133)
Lettres de 14-18 (anthologie) (156)
Les mille et une nuits (textes choisis) (161)
Le plaisir de la lecture (anthologie) (184)
La poésie engagée (anthologie) (68)
La poésie lyrique (anthologie) (91)
Le roman de Renart (textes choisis) (114)
Rome (anthologie bilingue) (118)
Victor Hugo, une légende du 19ᵉ siècle (anthologie) (83)
25 fabliaux (74)
Voyage au pays des contes (anthologie) (172)
Homère, Virgile, Ovide – **L'Antiquité** (textes choisis) (16)
Alphonse Allais, Marcel Aymé, Eugène Ionesco– **3 nouvelles comiques** (195)
Marcel Aymé – **Les contes du chat perché** (contes choisis) (55)
Honoré de Balzac – **La maison du Chat-qui-Pelote** (134)
Honoré de Balzac – **La vendetta** (69)
Pierre-Marie Beaude – **La maison des Lointains** (142)
Robert Bober – **Quoi de neuf sur la guerre ?** (56)
Robert de Boron – **Merlin** (textes choisis) (164)
Évelyne Brisou-Pellen – **Le fantôme de maître Guillemin** (18)
Alejo Carpentier, Yukio Mishima, Ray Bradbury – **3 nouvelles étrangères** (196)
Blaise Cendrars – **L'or** (135)
Jules César – **La guerre des Gaules** (192)
Raymond Chandler – **Sur un air de navaja** (136)
Chrétien de Troyes – **Le chevalier au lion** (65)
Arthur Conan Doyle – **Le chien des Baskerville** (75)
Pierre Corneille – **La place royale** (124)
Pierre Corneille – **Le Cid** (7)

Jean-Louis Curtis, Harry Harrison, Kit Reed – **3 nouvelles de l'an 2000** (43)

Didier Daeninckx, Chantal Pelletier, Jean-Bernard Pouy – **3 nouvelles noires** (194)

Didier Daeninckx – **Meurtres pour mémoire** (35)

Roald Dahl – **Escadrille 80** (105)

Alphonse Daudet – **Lettres de mon moulin** (42)

Michel Déon – **Thomas et l'infini** (103)

Régine Detambel – **Les contes d'Apothicaire** (2)

André Dhôtel – **Un adieu, mille adieux** (111)

François Dimberton, Dominique Hé – **Coup de théâtre sur le Nil** (41)

Alexandre Dumas – **La femme au collier de velours** (57)

Georges Feydeau – **Feu la mère de Madame** (47)

Émile Gaboriau – **Le petit vieux des Batignolles** (80)

Romain Gary – **La vie devant soi** (102)

Théophile Gautier – **Le roman de la momie** (157)

William Golding – **Sa Majesté des Mouches** (97)

Victor Hugo – **L'intervention** (119)

Franz Kafka – **La métamorphose** (128)

Eugène Labiche – **Un chapeau de paille d'Italie** (17)

Jean de La Fontaine – **Fables** (choix de fables) (52)

J.M.G. Le Clézio – **Pawana** (112)

Gaston Leroux – **Le cœur cambriolé** (115)

Virginie Lou – **Un papillon dans la peau** (166)

Marie de France – **Lais** (146)

Marivaux – **Arlequin poli par l'amour** et **La surprise de l'amour** (152)

Guy de Maupassant – **13 histoires vraies** (44)

Prosper Mérimée et *Théophile Gautier* – **Carmen** et **Militona** (158)

Prosper Mérimée – **Mateo Falcone** et **La Vénus d'Ille** (76)

Molière – **George Dandin** (87)

Molière – **L'Avare** (66)

Molière – **Le bourgeois gentilhomme** (33)

Molière – **Le malade imaginaire** (110)

Molière – **Le médecin malgré lui** (3)

Molière – **Les femmes savantes** (34)

Molière – **Les fourberies de Scapin** (4)

Jean Molla – **Sobibor** (183)

James Morrow – **Cité de vérité** (6)

Arto Paasilinna – **Le lièvre de Vatanen** (138)

Charles Perrault – **Histoires ou contes du temps passé** (30)

Marco Polo – **Le devisement du monde** (textes choisis) (1)

René Réouven – **3 histoires secrètes de Sherlock Holmes** (175)

Jules Romains – **Knock** (5)

Edmond Rostand – **Cyrano de Bergerac** (130)

Antoine de Saint-Éxupéry – **Lettre à un otage** (123)

George Sand – **La petite Fadette** (51)

Jorge Semprun – **Le mort qu'il faut** (122)

John Steinbeck – **La perle** (165)

Robert Louis Stevenson – **L'île au trésor** (32)

Jonathan Swift – **Voyage à Lilliput** (31)

Michel Tournier – **Les Rois mages** (106)

Paul Verlaine – **Romances sans paroles** (67)

Jules Verne – **Le château des Carpathes** (143)

Voltaire – **Zadig** (8)

Émile Zola – **J'accuse!** (109)

Lycée – Texte et dossier
**128 poèmes composés en langue française, de Guillaume Apollinaire à
    1968** (anthologie de Jacques Roubaud) (82)
Le comique (registre) (99)
Le dialogue (anthologie) (154)
Le didactique (registre) (92)
Écrire des rêves (anthologie) (190)
L'épique (registre) (95)
La forme brève (anthologie) (168)
Les mémoires (anthologie) (198)
New York (anthologie) (177)
La photographie et l'(auto)biographie (anthologie) (132)
Portraits et autoportraits (anthologie) (101)
Pratiques oulipiennes (anthologie) (147)
Le satirique (registre)(93)
Le tragique (registre) (96)
3 questions de dramaturgie (anthologie) (129)

Abbé Prévost – **Manon Lescaut** (159)

Guillaume Apollinaire – **Alcools** (21)

Louis Aragon – **Le paysan de Paris** (137)

Honoré de Balzac – **Ferragus** (10)

Honoré de Balzac – **Mémoires de deux jeunes mariées** (100)

Honoré de Balzac – **Le père Goriot** (59)

Honoré de Balzac, Théophile Gautier, Alfred de Musset – **Le peintre et son modèle** (173)

Jules Barbey d'Aurevilly – **3 diaboliques** (155)

Jules Barbey d'Aurevilly – **Le chevalier des Touches** (22)

Charles Baudelaire – **Les Fleurs du Mal** (38)

Charles Baudelaire – **Le spleen de Paris** (64)

Beaumarchais – **Le mariage de Figaro** (28)

Béroul – **Tristan et Yseut** (mythe) (63)

Albert Camus – **Le premier homme** (160)

Emmanuel Carrère – **L'Adversaire** (120)

François-René de Chateaubriand – **Les aventures du dernier Abencerage** (170)

Chrétien de Troyes – **Perceval ou Le Conte du Graal** (125)

Pierre Corneille – **L'illusion comique** (45)

Dai Sijie – **Balzac et la petite tailleuse chinoise** (167)

Robert Desnos – **Corps et biens** (153)

Denis Diderot – **Jacques le fataliste et son maître** (149)

Denis Diderot – **Supplément au voyage de Bougainville** (104)

Annie Ernaux – **Une femme** (88)

Fénelon – **Les Aventures de Télémaque** (116)

Gustave Flaubert – **Un cœur simple** (58)

Jérôme Garcin – **La chute de cheval** (145)

Théophile Gautier – **Contes fantastiques** (36)

Jean Genet – **Les bonnes** (121)

André Gide – **La porte étroite** (50)

André Gide, Catherine Pozzi, Jules Renard – **3 journaux intimes** (186)

Jean Giono – **Un roi sans divertissement** (126)

Goethe – **Faust** (mythe) (94)

Nicolas Gogol – **Nouvelles de Pétersbourg** (14)

J.-C. Grumberg, P. Minyana, N. Renaude – **3 pièces contemporaines** (89)

Guilleragues – **Lettres portugaises** (171)

E.T.A. Hoffmann – **L'homme au sable** (108)

Victor Hugo – **Les châtiments** (13)

Victor Hugo – **Le dernier jour d'un condamné** (46)

Eugène Ionesco – **La cantatrice chauve** (11)

Sébastien Japrisot – **Piège pour Cendrillon** (39)

Alfred Jarry – **Ubu roi** (60)

Thierry Jonquet – **La bête et la belle** (12)

Franz Kafka – **Le procès** (140)

Madame de Lafayette – **La princesse de Clèves** (86)

Jean Lorrain – **Princesses d'ivoire et d'ivresse** (98)

Naguib Mahfouz – **La Belle du Caire** (148)

Marivaux – **Le jeu de l'amour et du hasard** (9)

Roger Martin du Gard – **Le cahier gris** (53)

Guy de Maupassant – **Bel-Ami** (27)

Guy de Maupassant – **Une vie** (26)

Henri Michaux – **La nuit remue** (90)

Patrick Modiano – **Dora Bruder** (144)

Patrick Modiano, Marie Ndiaye, Alain Spiess – **3 nouvelles contemporaines** (174)

Molière – **Dom Juan** (mythe et réécritures) (84)

Molière – **L'école des femmes** (71)

Molière – **Le Misanthrope** (61)

Molière – **Le Tartuffe** (54)

Montaigne – **De l'expérience** (85)

Montesquieu – **Lettres persanes** (lettres choisies) (37)

Alfred de Musset – **On ne badine pas avec l'amour** (77)

Franck Pavloff – **Après moi, Hiroshima** (127)

Marcel Proust – **Combray** (131)

Raymond Queneau – **Les fleurs bleues** (29)

Raymond Queneau – **Loin de Rueil** (40)

Jean Racine – **Andromaque** (70)

Jean Racine – **Bérénice** (72)

Jean Racine – **Britannicus** (20)

Jean Racine – **Phèdre** (25)

Jean Renoir – **La règle du jeu** (15)

Shan Sa – **La joueuse de go** (150)

Nathalie Sarraute – **Pour un oui ou pour un non** (185)

William Shakespeare – **Roméo et Juliette** (78)

Georges Simenon – **La vérité sur Bébé Donge** (23)

Catherine Simon – **Un baiser sans moustache** (81)

Sophocle – **Œdipe roi** (mythe) (62)

Stendhal – **Le rouge et le noir** (24)

Stendhal – **Vanina Vanini, Mina de Vanghel, Les Cenci** (141)

Anton Tchekhov – **La cerisaie** (151)

Émile Verhaeren – **Les villes tentaculaires** (178)

Villiers de l'Isle-Adam – **12 contes cruels** (79)

Voltaire – **Candide** (48)

Francis Walder – **Saint-Germain ou La négociation** (139)

François Weyergans – **Macaire le copte** (176)

Émile Zola – **La curée** (19)

Émile Zola – **Au Bonheur des Dames** (49)

Lycée – En perspective

Estelle Piolet-Ferrux commente **Les planches courbes** d'Yves Bonnefoy (169)

Aliocha Wald Lassowski commente **L'enfance d'un chef** de Jean-Paul Sartre
(197)

Christian Zonza présente **Le baroque** (179)

Guillaume Peureux présente **Le burlesque** (193)

Suzanne Guellouz présente **Le classicisme** (201)

Christine Bénévent présente **L'humanisme** (187)

Alexandre Duquaire présente **Les Lumières** (180)

Olivier Decroix et Marie de Gandt présentent **Le romantisme** (188)

Luc Vigier présente **Le surréalisme** (181)

Luc Fraisse – **L'histoire littéraire : un art de lire** (191)

Jean-Luc Vincent – **Comment lire un texte à voix haute?** (189)

Cet ouvrage a été composé
et mis en page par Dominique Guillaumin, Paris,
et achevé d'imprimer
sur les presses de l'imprimerie Hérissey
en juin 2007
Imprimé en France.

Dépôt légal : juin 2007
N° d'imprimeur : 105155
N° d'éditeur : 151558
ISBN 978-2-07-034660-8

Pour plus d'informations :
http://www.gallimard.fr
ou
La bibliothèque Gallimard
5, rue Sébastien-Bottin – 75328 Paris cedex 07